실내인간

실내인간

이석원 장편소설

돌

그는 평생 바람을 저주하며 살았다.

0. 워리의 사형식

그때였다.

군인들이 순식간에 개를 에워쌌다.

눈 깜짝할 사이에 입마개로 입이 가려지고, 포승줄에 네 다리가 꽁꽁 묶인 워리는 공포에 질려 온 힘을 다해 버둥거리고 있었다.

"안 돼요. 이애는 아무 잘못도 없어요."

나는 절규했지만 그 말을 듣는 사람은 없었다. 두꺼운 카키색 철모를 쓴 군인들은 과묵한 독일병정처럼 굳게 입을 다문 채 아무런 표정의 변화 없이 흡사 기계처럼 형의 집행을 준비했다. 그들은 집 안에 있는 물건들을 재빨리 한쪽 구석으로 몰아 거실을 비운 다음 어디선가 커다란 나무기둥 두 개를 들여왔다. 그러고는 벽 쪽에 그것을 십자가 모양으로 포개 사형대를 설치했다.

워리가 묶여졌다.

개는 심하게 몸을 뒤틀며 저항했지만 소명의 기회 같은 건 주어지지 않았다. 사지가 사람처럼 쭉 펴지지 않는 개의 네 다리를 억지로 벌려 십자가 모양으로 묶으니 몸이 우습게도 앞으로 굽혀진 채 버둥거리는 형상이 되었다.

"안 돼……."

나는 울먹이며 중얼거렸지만 사수는 가차없이 총구를 개에게로 겨눴다.

그러곤

탕!

총알이 워리에게로 날아가 박혔다. 나는 날카로운 비명을 질렀고, 새빨간 얼룩이 워리의 가슴 쪽 흰 털 위로 강렬하게 번져갔다. 총구에선 허연 연기가 피어오르고 사수들은 총을 내려놓았으나 정적도 잠시, 워리는 여전히 버둥거리고 있었다.

어떻게 된 거야?

총에 맞은 개가 왜 죽지 않고 몸을 뒤틀고 있는 거지?

나는 영문을 몰라 어리둥절하고 있는데 군인들은 할 일을 마쳤다는 듯 무표정한 얼굴로 철수를 하기 시작했다. 서둘러 워리에게 달려가 빨갛게 물들어버린 가슴 부위를 만져보니 놀랍게도 그건 피가 아니었다. 사수가 쏜 것은 빨간 색소 같은 걸 뭉쳐놓은 가짜 총알이었던 것이다.

나는 황당해서 소릴 질렀다.

"이봐, 당신들 지금 뭐한 거야. 뭐한 거냐고."

난 그들의 팔을 거칠게 잡아 흔들며 항의했지만 아무런 대답도 들을 수 없었다. 애초부터 이 사람들은 워리가 왜 사형을 당해야 하는지, 자기들이 무슨 권리로 그걸 집행하는지에 대해 한마디도 해준 적이 없다. 군인들이 짐을 챙겨 녹슨 자물쇠가 덜렁거리는 문을 무심히 열어둔 채 밖으로 나가자, 난 서둘러 워리의 포박을 풀었다. 손과 어깨에 빨간 물감이 잔뜩 묻어났다.

도대체 뭐야. 저 싸이코들.

나는 아직도 떨고 있는 워리를 안고선 문밖으로 나가 차에 오르는 군인들을 향해 마구 욕을 해댔다.

"꺼져. 이 정신병자들아! 다신 얼씬도 하지 말라구."

여전히 대꾸가 없다. 집으로 들어왔다. 도무지 꿈인지 현실인지 알 수 없는 삼십 분간의 해프닝이 끝나고 워리를 내려놓으니, 녀석은 그제서야 정신이 드는지 다시 사고라도 칠 것처럼 집 안 곳곳을 이리저리 뛰어다녔다.

아, 정신없어.

"너 진짜 계속 이렇게 말 안 들으면 저 인간들 다시 불러서 정말 사형시켜달라고 부탁해버린다."

나의 엄포에 워리는 무슨 개소리냐는 듯 협탁 위에 서 있던 스탠드를 머리로 쳐 쓰러뜨리더니 쌩하고 나가버렸다.

1. 아침

언제 자건 일찍 일어나는 습성을 가졌으므로,

나는 늘 맨정신으로 밀려드는 햇살을 온전히 감당해야 했다. 매일 잠에서 깨어 의식이 드는 순간, 시계를 보지 않아도 시간을 알 수 있었고 오늘도 너무 일찍 일어났다는 것을 알았다. 주섬주섬 이불 어딘가에 있을 휴대폰을 찾아 확인해보니 여섯시를 조금 넘긴 시각. 누운 채로 방 안을 힐끔 둘러본다. 오래된 신문지를 붙여 막아놓은 창문 틈으로 새어 들어온 햇살이 천장에 삼분의 일쯤 드리워져 있었고, 채 일 미터도 떨어져 있지 않은 옆집에선 벌써 아줌마들의 이야기 소리가 들려오기 시작했다.

안방 문을 닫고 마루로 나와서 식탁에 앉아 습관처럼 꿀물을 탔다. 누렇게 물때가 낀 머그컵에 생수를 반쯤 따라 마트에서 산 싸구려 국산 꿀을 부은 후 전자레인지에 삼십 초간 돌리면 꿀물 한 잔이 완성된다. 따뜻하게 데워진 단물을 몇 모금 홀짝이고 나서 잠시 멍하니 있자니, 개미들이 먹다 남은 꿀물 주변으로 모여들었다. 나는 슬쩍 컵을 기울여 그 아이들이 자신들의 달콤한 식량 속에 수몰되도록 해주었다. 몇 놈이 달콤한 물에 빠져죽고 몇 놈은 컵의 가장자리로 기어올라와 가까스로 살아났다. 아침 산책을 나가기로 한다.

분노나 체념 같은 감정은 고통을 얼마나 견딜 수 있게 해줄까. 화가 잔뜩 나서 주사를 맞던 여덟 살 때가 생각난다. 그날 엄마가 함께 병원엘 가기로 한 약속을 까먹는 바람에, 나는 입이 댓 발은 나와서는 혼자서 터덜터덜 늘 다니던 동네의 어느 내과를 찾아갔었다. 그런데 엄마가 미리 전화를 넣은 탓에, 나는 의사선생님은 보지도 못한 채 간호사 누나들에 의해 주사실로 끌려갔고, 누나들은 키득거리며 멋대로 내 바지를 무릎 아래까지 내리고는 엉덩이에 주사를 놓았던 것이다. 그 바람에 나는 참을 수 없을 만큼 화가 치솟았지만, 그래서 그런지 그다지 아픈 것 같지 않은 희한한 경험을 했었다. 오늘도 그랬다. 이상 한파로 9월 치고는 상당히 쌀쌀한 날씨였으나 달랑 반팔 티 쪼가리 하나 걸치고 나왔는데도 나는 별다른 한기를 느끼지 못하고 있었다.

늘 하던 대로 정처 없이 동네 이곳저곳을 걷다 별 이유도 없이 횡단보도에 섰다. 어차피 목적지도 없는 걸음. 신호를 기다리며 멍하니 서 있는데, 건너편 버스정류장 앞길에서 사람들이 무언가를 둘러싼 채 웃고 있는 모습이 보였다.

그들은 우스꽝스러운 몰골을 한 어떤 생명체를 향해 낄낄거리며, '저

개는 주인도 없나?' 따위의 조롱을 하고 있었다.

워리였다.

오랫동안 씻지 않은 털은 뭉치고 떡이 져 마치 대걸레처럼 굵게 가닥이 잡혀 있었고 삽살개도 아닌 것이 머리털은 눈을 반이나 가릴 정도로 내려왔지만, 귀엽기는커녕 무슨 노숙자처럼 우스꽝스럽고 지저분해 보일 뿐이었다. 나는 그길로 녀석을 데리고 함께 집으로 돌아갔다. 사람들이 뒤에서 수군대는 소리가 들려왔다. 때 이른 초가을 날씨에, 얼굴은 수치심으로 범벅이 된 웬 헐벗은 남자가 더럽기 짝이 없는 미욱살스러운 개를 끌고 가는 모습이 얼마나 가관이었을까. 나는 그제야 내가 얼마나 얇은 차림으로, 단지 감정에 이끌려 이 쌀쌀한 아침 거리로 뛰쳐나왔는가를 깨닫고는, 내 의지로는 도저히 억제할 수 없을 만큼 심하게 몸을 떨기 시작했다.

생각해보면 우리의 이별에는 전조가 있었다. 그렇게 예뻐하던 워리의 털이 자기 옷에 묻는 걸 질색하는 모습을 보이기 시작했을 때 알아챘어야 했는데…… 즐겨 입던 검은 스커트에 희고 누런 털들이 아무리 묻어도 상관하지 않던 그애가 아니었던가.

워리를 데리고 터덜터덜 골목길에 들어서다 집 앞을 쓸고 있던 주인 아줌마와 마주쳤다. 내게 이 일이 있기 전까지 우린 잘 지냈다. 하지만 실연의 충격으로 직장을 휴직하면서 월세가 밀리기 시작했고, 그때부터 우리의 관계도 금이 가고 말았다. 오늘도 못 본 척 문을 따고 들어

가려는데 등뒤에서 아줌마의 냉랭한 목소리가 들려왔다. 더는 못 기다려준다고. 워리가 눈치 없이 아줌마에게 가서 꼬리를 흔들고 있었다.

집으로 들어가 힘없이 식탁 의자에 주저앉았다.

그래, 진작 떠났어야 했다. 울리지 않는 전화기를 부질없이 쳐다보는 일도 벌써 그만두어야 했었고.

하지만 어떻게?

월세를 내지 못해 까먹어들어간 보증금은 반밖에 남지 않았다. 부모님 집으로 들어가려 해도 사업을 말아먹은 매형네 부부가 조카들을 데리고 들어가 있어 그럴 수도 없다. 갑자기 이사가 현실이 되고 말았다. 어쨌든 서울 밖으로 나가긴 싫었는데 그때, 마침 나이로비에 가 있던 친구 제롬으로부터 전화가 걸려왔다. 자기가 한국으로 들어와주겠다는 것이다.

"그래도 되겠어? 너 일 더 남은 거 아냐?"

그렇게 해서 난 여전히 그애가 다시 돌아올 것만 같던 이 집과 골목과 동네를 두고서 쫓기듯 떠날 결심을 하게 되었다.

헤어진 지 꼭 일 년이 되던 날 아침이었다.

2. 이사

나는 평범한 아이였다.

활달한 성격에 호기심은 좀 있는 편이었지만 특별히 무슨 꿈 같은 건 없었다. 전공은 철학이었는데 그것도 딱히 원해서 내린 결정은 아니었다. 다만 관련 수업을 열심히 듣는 바람에 한 동아리에 들어가게 됐고, 그곳에서 장차 칠 년을 사귈 여자친구와, 내 가장 친한 친구와, 취직을 시켜줄 은인 같은 선배를 만났으니 전공 덕은 본 셈이라 할 수 있었다.

일학년 때, 어떤 교수의 논리학 수업을 좋아해서 꽤 열심히 들었는데, 그는 세상엔 훌륭한 탐정이 될 수 있는 연역추리능력을 타고난 행운아들이 있다고 했다. 처음엔 '죄수와 모자 색깔' 문제도 잘 풀지 못해 버벅대다 양화논법을 배우고 노트 한쪽을 가득 채운 자연연역법까지 척척 풀게 되자, 나는 내가 바로 그 행운아라 확신했다. 때문에 그 교수가 '수사반장'이라는 학내 탐정 동아리가 있다는 사실을 알려주었을 때, 두말없이 그곳의 일원이 된 것은 내겐 자연스러운 일이었다.

수사반장. 내 이십대 초반 젊은 날의 고향 같은 곳.

우린 늘 사건에 목말라 있었으나 외부로부터의 의뢰 건수는 많지 않아 주로 자급자족을 해야 했다. 칠칠맞지 못한 여자 신입회원의 잃어버린 개를 찾아주는가 하면, 정 수사에 목이 마를 땐 흥신소에서나 할 법한 일도 마다하지 않았다. 주로 파트너가 바람피우는 현장을 잡아달라거나 원하는 상대의 연락처를 알아봐달라는 너저분한 부탁들이었지만, 그것도 사건이랍시고 해결하겠다며 뛰어다니던 시절, 나는 행복했었다.

졸업 후 첫 직장은 광고 회사였는데 회사생활은 그냥 그랬다. 사무실에서 회의하고, 아이디어 짜내고, 기안서 작성하고, 광고주들에게 프레젠테이션하는 날들이 바쁘게 흘러갔지만 나는 한 살이라도 젊을 때 뜨거운 모니터와 책상을 벗어나고 싶었다. 그즈음 '수사반장'의 회장을 맡았던 한 선배가 사설 경비업체를 차리게 돼 나는 다니던 회사를 그만두고 다른 동기들과 함께 창업 멤버로 참여했다. 회사는 실적이 좋았고 선배인 사장은 근무태도가 성실한 편이었던 나를 신임했으나 이번에도 곧 일에 흥미를 잃어갔다. 어느 회사를 가도 비슷비슷한 매뉴얼에, 특별한 게 없는 생활들. 나는 그때쯤, 세상이 내가 각오했던 것보다 훨씬 더 재미가 없는 곳이라는 걸 알아갔던 것 같다.

나는 낙담했지만 성실하게 일했다. 원래 인생에 무슨 큰 기대를 거는 편은 아니었으니까. 그렇게 사 년을 별 탈없이 다니다가 작년에 '그 일'

이 터진 것이다. 처음엔 충격으로 한 달간 병가를 냈었다. 그런데 회복이 되질 않았다. 누구도 내게 실연의 상처가 이렇게 오래갈 거라고 일러주지 않았기에 나는 당황했다. 다시 병가를 연장하고 일 년 만에 찾아간 나를 선배는 따뜻하게 맞아주었지만 복직은 허용되지 않았다. 대신 사 년간 성실하게 일한 대가로 통장에 약간의 돈을 넣어주었고, 그거라도 없었다면 이렇게 이사 갈 생각은 하지도 못했을 것이다.

집을 보러 다니기 시작한 지도 여러 날. 서울에서 사는 것을 포기해야 하지 않을까 생각할 때쯤 막차처럼 등장했던 이 집을 발견하게 된 것은 행운이었다. 이름도 처음 들어보는 조용한 동네의 단독주택 이층. 애초 원했던 것보다 면적도 넓어 방이 세 칸에 부엌도 깨끗하고 화장실엔 욕조까지……. 당장 잡고 싶었지만 문제는 역시 돈. 그나마 비슷한 조건의 다른 집보다는 싼 편이었지만 내가 가진 돈으로는 여전히 모자랐다. 복덕방에 사정 이야기를 하며 연락처를 남겨두고 왔지만 더 깎아줄 가능성은 없어 보였다.
'마루도 널찍한 게 집이 정말 괜찮던데…….'
꼬박 하룻밤을 고민했다. 집은 탐이 나는데 날짜는 다가오고, 갑자기 돈을 더 만들 길은 없고……. 다음날, 더 늦기 전에 포기하기로 마음을 굳히곤 밖으로 나가려는데 휴대폰이 울렸다. 어제 그 복덕방 아줌마였다.
"늘봄부동산이에요. 집 구하셨나요?"

"아뇨, 아직." 나는 혹시나 하며 아줌마의 다음 말을 기다렸다.

"그 집에서 원하는 대로 해주겠다네요. 근데 조건이 있답니다."

"정말요? 무슨 조건인데요?" 나도 모르게 자리에서 벌떡 일어났다.

"크게 어려운 것은 아니고, 그렇게 들어오는 대신 옥상을 쓰면 안 된 대요."

"옥상이요?"

"네, 옥상에 올라가면 안 되고 하여간 옥상은 쓸 수 없대요."

"그럼 주인이 쓴다는 건가요? 그게 다예요?" 나는 무슨 말인지를 모르겠어서 재차 물었다.

"뭐 그건 잘 모르겠고, 하여간 옥상만 안 쓰면 된다 그래요."

더 생각할 겨를이 없었다. 그까짓 옥상 안 쓰면 그만이지. 조금 의아하긴 했지만 나는 그길로 부동산 사무소로 달려가 계약을 했다. 집주인은 오지 않았지만 등기부 등본은 대출 하나 받은 것 없이 깨끗했고, 어쨌든 서울에서 계속 살 수 있게 된 것이 기뻤다. 여전히 난, 서울을 벗어나게 되면 그애와 정말로 멀어질지 모른다는 두려움을 갖고 있었기에.

이사하던 날. 잔금을 치르러 복덕방 안으로 들어서니 사장 아줌마가 웬 노인에게 인사를 시켰다. 눈이 작고, 중키에 체구가 단단해 보이는 노인네였다. 나이는 예순다섯 정도? 회색 양복바지에 멜빵을 하고 셔츠 바람으로 서 있는데 웃는 눈이 매서운 게 인상이 그리 좋아 보이지는 않았다. 내가 집주인인 줄 알고 공손히 인사하자 아줌마는 우리집

뿐만 아니라 그 골목에 있는 집 전체를 관리하는 분이라며 소개를 했다. 관리인? 그럼 집주인은 만나보지도 못하고 이 노인네와 계약을 해야 한다는 건가? 내가 미심쩍어하는 눈치를 보이자 노인은 대뜸 설명을 하기 시작했다.

"내가 대리인이니까 안심하고 나랑 하면 돼요. 집주인이 먼 데 있어서 오기가 힘들거든. 여기 인감도 있고 위임장도 있고 다 있어요. 그 골목에 있는 집들은 전부 내가 관리한다구."

노인은 부담스럽게 웃으며 말했다. 쇳소리가 섞인 카랑카랑한 목소리였다. 골목에 있는 집 전부라면 열 채도 더 돼 보이던데 그게 모두 한사람의 소유라는 걸까? 어쨌거나 이삿짐은 벌써 들어가고 있었고, 썩 내키진 않지만 서류상 하자도 없고 하니 무슨 일이야 있겠나 싶어 도장을 찍고 잔금을 건넸다.

"다시 한번 말하지만 옥상은 절대로 올라가면 안 돼. 그 조건을 잊지 말라구."

노인은 기분 나쁘게 웃으며 돈을 받자마자 반말로 말했다.

3. 옥상

점심 때라 그런가,

동네가 유난히 조용하다 느끼며 새 집으로 들어가니 이삿짐센터 직원들이 마루에 모여 앉아 점심참을 먹고 있었다. 나는 제멋대로 돌아다니고 있는 워리를 비어 있는 베란다 쪽 수도관에 묶어놓고는 작은 방에 들어가 줄자로 이것저것 체크를 하기 시작했다. 제롬이 쓸 방을 비워두느라 가구 배치하는 일이 생각보다 까다로웠기 때문이다.

잠시 후 밥을 다 먹었는지 팀장이라는 사람이 이빨을 쑤시며 다가왔다.

"짐이 다 들어올 것 같지 않은데 혹시 옥상에 올려놓을 건 없으세요?"

"아, 옥상은……."

뭐라고 말을 해줘야 하나 머뭇거리고 있는데 밥을 먹고 있던 직원 한 사람이 소리쳤다.

"이 집엔 옥상으로 올라가는 계단이 없는 것 같던데?"

그럴 리가? 나는 베란다에도 나가보고 현관 쪽 통로도 살펴봤지만 정말로 계단이 없었다.

"거 희한하네. 옥상이 있는 집에 계단이 없다니." 팀장이 종이컵에 담배를 비벼 끄며 중얼거렸다.

"어차피 이 집 옥상은 쓰지 않기로 하고 들어온 거거든요." 난 멋쩍게 웃으며 말했다. 그가 영문을 모르겠다는 표정을 지었지만 어리둥절하긴 나도 마찬가지여서 더 해줄 말이 없었다.

저녁이 되어 일을 마친 센터 직원들이 돌아가고 나자 나는 곧바로 집 안 곳곳을 다시 한번 샅샅이 뒤져보았다. 집 안, 건물 외벽 그 어디에도 위로 올라갈 만한 뭔가가 전혀 없었다.

뭘까. 옥상으로 올라갈 수조차 없게 해놓고 올라가면 안 된다니.

그날 밤. 관리인 노인네가 이사는 잘 했냐며 찾아왔길래 옥상엔 뭐가 있느냐고 슬쩍 물어보았다.

"별거 없어. 전에 살던 사람들이 하도 지저분하게 써서 그런 거지."

어쩐지 짜증이 한껏 밴 말투라 더는 거기다 대고 계단 얘기를 꺼낼 엄두가 나지 않았다. 뭐 어차피 올라가고 싶어도 그럴 수 없는 곳이니.

노인네가 가고 난 뒤, 혹시나 해서 나무로 마감된 베란다 쪽 천장을 살펴보았지만 입구를 막은 흔적 같은 건 발견할 수 없었다.

4. 첫 밤

낯선 새 집에서의 첫 밤.

집이 이층인데다가 바로 위가 옥상이라 층간소음에 관한 한 안전한 편이라고 생각했는데 아니었나보다. 새벽 한시경, 피곤한데 잠이 오지 않아 짐정리를 좀 하다 한숨 돌리며 소파에 앉아 있던 참이었다.

쉬익.

천장 쪽에서 무슨 소리가 들려오기 시작했다. 처음엔 바람이겠거니 하다가 나중엔 고양이나 비둘기일 거라고 생각했다. 그런데 소리가 이십 분이 넘게 멈추질 않는 것이다.

사각사각.

뭔가 좀 이상했다. 개나 고양이라면 뛰어다니며 노는 소리가 나야 할 텐데 들려오는 소리들은 그렇게 단순하지 않았다. 목적이 있는 것 같다고 해야 하나? 나는 혹시나 하는 마음에 현관 밖으로 나가보았다. 어떤 아줌마가 혼자 사는 아랫집 일층의 불은 꺼져 있었고, 옥상을 올려다봐도 별 기척이 없었다. 동네에 불빛이라곤 저 맞은편 건너건너에 있는 집 위층 창문에서 새어나오는 희미한 빛이 전부. 다시 집으로 들어왔다. 분명 어떤 규칙에 따라 나는 것 같은데 파악하기가 쉽지 않았다.

톡톡.

가만히, 소리가 나는 쪽을 더듬어 가보니 거실의 나무천장 위쪽에서 들려오는 것 같았다. 그렇다면 천장과 옥상 사이? 아니면 옥상에서?

그것은 어떤 생물체가, 물론 그래봤자 길고양이들이겠지만, 마치 도구를 이용해 뭔가를 만드는 것처럼 들렸다. 반복적으로 긴 시간 들렸기 때문에 놀이를 하는 소리라고는 생각할 수 없었다. 뭘까. 고양이나 개들은 은거할 곳을 찾아들어갈 뿐 집을 짓지는 않는다. 그렇다면 비둘기? 팔 한 짝도 없는 비둘기가 이렇게 크고 다양한 소리를 낼 수 있을까? 나는 한 시간이 넘도록 멈추지 않는 소리에 참다못해 천장을 두들겨봤지만 소리가 멈춘 건 그때뿐이었다. 아마 가장 현실적이고도 시시한 전말은 역시 고양이나 개들이 옥상에 터를 잡고 마치 제집처럼 이용하고 있는 상황일 것이다. 어차피 계단도 없는 옥상이니 사람 손이 닿지 않은 지 오래됐을 것이고 그렇다면 충분히 예상 가능한 시나리오가 아닌가. 하지만 아니라면? 위에서 누가 정말로 뭔가를 하고 있다면?

옥상에 올라가보고 싶지만 그럴 수가 없다. 설마 그 음흉한 노인네가 밤마다 내가 자고 있는 집 옥상에 몰래 올라가 뭔가 일을 꾸미고 있는 것은 아닐까? 그렇다면 차라리 재미있을지도 모르겠는데. 소리는 밤마다 계속됐고 일주일 정도 지나자 나는 이내 그 상황에 익숙해져 한동안 소리가 들릴 때면 하던 일을 멈추고 소파에 누워 이런저런 공상에 빠져들곤 했다.

5. 교활한 노인네

이제 막 이사 온 집이었다.

그런데 집주인도 아닌 단지 관리인 격의 노인네가 툭하면 찾아와 문을 열어달라고 하니, 한두 번도 아니고 이해가 가지 않았다. 복덕방에 찾아가 항의하고 집주인의 연락처를 요구했지만, 외국에 있어 통화하기가 힘들다며 노인과 이야기하라는 말뿐이었다. 노인이 문젠데 노인과 이야길 하라니. 나는 이게 다 제값을 주고 들어오지 않은 탓인가 하는 생각에 분한 마음이 들었다.

한번은 이런 일도 있었다. 일요일 아침. 누군지 일찍부터 문을 두드리기에 귀찮아서 열어주지 않았더니 "계세요?" 하는 낮고 징그러운 목소리와 함께 사람이 들어오는 것이 아닌가. 노인네였다. 자기가 가진 열쇠로 문을 따고 들어온 것이었다.

나는 기가 막혀 한 번만 더 이렇게 들어오면 무단침입으로 경찰에 신고해버리겠다고 펄펄 뛰었고, 그 바람에 자고 있던 워리가 영문도 모르고 달려와서는 짖어대니, 휴일 아침이 아주 엉망이 되어버렸다. 한 가지 이상했던 건 내가 그렇게 난리를 치는데도 노인네는 눈 하나 꿈쩍하지 않았다는 것이다. 그는 내가 소릴 지르건 말건 문 앞에 버티고 서서 집 안 어딘가를 날카롭게 응시했고 그의 시선이 베란다로 나가는 문쪽을 향하는 순간, 나는 단박에 그가 뭔가 확인하려 한다는 것을 알 수 있었다. 잠시 후, 그가 목적을 이루었다는 듯 사나운 눈빛을 거두고 그 작은 눈으로 음흉하게 웃으며 나를 바라보자, 온몸에 소름이 끼쳤다. 작고 교활한 눈, 나이답지 않게 다부진 어깨며 두터운 가슴. 나는 그때, 이 범상치 않은 노인네가 풋내나는 젊은 놈의 항의쯤은 귓등으로 흘려들을 위인이라는 걸 알았다. 그는 분명 뭔가를 확인하러 이 집에 들어왔다가 목적을 이루었으므로 순순히 물러간 것이다.

이튿날. 나는 날이 밝자마자 열쇠집에서 사람을 데려와 현관문의 굵은 수동식 자물쇠를 떼어버린 후, 비밀번호를 사용하는 최신식으로 바꿔버렸다.

6. 새 집 새 생활

만나본 적은 없지만,

집주인은 하얀색을 무척 좋아하는 사람 같았다. 집은 아담한 정사각형 마루와 크고 작은 방 세 개 그리고 폭이 조금 좁은 베란다와 부엌, 또 욕실로 이루어져 있었는데, 온 집 안의 벽지와 방문 그리고 각 방의 창틀까지 모두 하얀색이었다. 욕실에 들어서도 벽과 세면대, 변기, 심지어 수납대와 욕조까지 하얀색 일색이었다. 그 하얀 공간을 내가 쓰던 색색깔의 물건들로 가득 채운 뒤, 나는 일 년 넘게 하지 않던 세차를 하러 갔다. 어느 비가 오지도, 햇볕이 너무 쨍하지도 않은 날. 허연 먼지를 뒤집어쓴 채 동네 손세차장을 찾은 나의 애마에서는 그애와 함께 쓰던 물건들이 끝도 없이 쏟아져나왔다. 언젠가 수목원으로 놀러갔을 때 먹다 남은 과자봉지들, 때마다 서로에게 주었던 선물상자들, 거기에 둘려 있던 빨갛고 파란 리본들, 각종 할인쿠폰, 종이카드, 핸드크림, 약봉지, 생리대…… 아줌마들이 쉬지 않고 "이거 버릴 거예요? 이거는요?" 하고 물어오는 통에 어느 걸 버리고 어느 걸 남겨야 할지 판단하는 일이 곤혹스러웠다. 그때그때 드는 생각대로 적당히 답을 해주다가 정말로 버리지 못하겠는 것들은 따로 상자를 얻어 챙겨두었다.

"다 됐어요."

삼십 분 뒤. 아주머니에게 만오천 원을 건넨 뒤 차에 올라 시동을 켜고 세차장을 빠져나가는데 언젠가 의미 있던 물건들이 이제는 쓰레기더미가 되어 문 옆에 수북이 쌓여 있었다. 나는 그 물건들을 지나치다 맨 앞쪽에 있는 빨간 종이상자를 보곤 잠시 차를 멈춰 세웠다. 그건 어느 해가 우리가 처음 만난 날을 기념해 받은 것이었다.

동아리 선후배 사이였던 우린 광화문 교보문고에서 첫 데이트를 했다. 크리스마스 직전 겨울이었다. 그애는 홑꺼풀에 피부가 깨끗하고 소년 같은 짧은 머리를 지닌 타입으로, 나는 동양미술에 열렬한 관심을 갖고 있던 그 이학년생에게 완전히 매료되었었다. 그날, 우리가 다섯 군데도 넘는 곳을 돌아다녔기 때문에 나는 매년 처음 만났던 날마다 그날 갔던 곳의 순서를 제대로 기억하고 있는지를 놓고 매번 야단을 맞곤 했었다. 나는 꼭 지금도, 그 상자 안에 무엇이 들어 있었는지를 추궁당할 것만 같아 열심히 기억을 되새기려 애쓰며 집으로 돌아갔다.

제냐에서 나온 검은 가죽지갑이랑 카드 한 장 그리고······.

세차를 마치고는 워리를 동물병원으로 데려가 씻기고 헬스클럽을 끊어 다시 운동도 시작했다. 이제는 동문회에서 연락이 와도 씹지 않고 주말에는 친구들도 만나려 노력한다. 어느 저녁, 티브이를 보며 혼자 웃고 있다는 것을 깨달았을 때, 결코 끝나지 않을 것만 같던 긴 장마가 서서히 끝나가는 기분이 들었다. 이렇게 누군가를 점점 잊게 되는 걸까? 나는 하루하루 희미해져가는 기억을 놓지 않으려 애쓰면서도 점차 새 집에서의 생활에 적응해갔고, 새 회사에 이력서를 넣은 다음엔 제 롬에게 이메일도 한 통 보냈다.

모든 준비가 끝났으니 이제 돌아오라고.

7. 친구

우린 같은 동아리에서 만났다.

원래 그렇게 친한 사인 아니었다. 녀석은 동아리 내에서 가장 똑똑한 놈이자 몇 안 되는 진짜 수사광이었지만, 워낙에 사람을 가리고 성격이 직설적이라 친구가 많지 않았다. 나와도 그냥 데면데면했었다. 그러다 결정적으로 가까워지게 된 건 녀석이 홍대 앞에서 퍽치기를 당하는 바람에 전치 8주의 중상을 입고 병원 신세를 지게 됐을 때였다. 사건이 사건인 만큼 경찰에 신고하는 쪽으로 분위기가 몰려갈 때, 나 혼자서 경찰에 신고하면 안 된다고, 반드시 우리 손으로 잡아야 한다고 난리를 쳤던 것이다.

나는 금요일 밤 홍대 근처에서 신고 접수되는 폭행 사건들이 얼마나 많은지 잘 알고 있었기 때문에 신고를 해봤자 소용이 없을 거라고 판단했다. 그래서 선배들의 반대를 무릅쓰고 혼자서 수사에 착수했다. 나는 턱이 깨지고 온몸이 멍투성이가 되어 말하는 것조차 힘들어하는 애를 찾아가 구체적인 사건 경위와 용의자의 인상착의 등을 캐물은 다음, 가해자가 추운 겨울에 슬리퍼를 신고 있었던 점을 근거로 집요하게 탐문을 해나갔다. 그러고는 현장 부근을 이잡듯이 뒤진 끝에 기어이 범인의 숙소를 발견할 수 있었고, 약에 취해 여자친구와 잠들어 있던 놈의 머리채를 잡아 내 손으로 직접 파출소까지 끌고 갔던 것이다.

그후, 녀석이 위아래 이빨을 노란 고무줄로 단단히 잡아묶은 우스꽝스러운 몰골로 병상에 누워 있는 두 달 동안 나는 하루가 멀다 하고 병문안을 갔고, 우리는 절대로 말을 하거나 웃으면 안 된다는 간호사의 경고에도 아랑곳없이 바람 새는 소리와 필담으로 밤마다 수많은 얘기를 나눴다.

'이렇게 말이 많고 대화를 좋아하는 놈이 그간 혼자 지내다시피 했었다니……'

녀석은 결국 그 웃기는 고무줄 덕분에 두 달 만에 수술 없이 턱이 붙었는데, 나와 낄낄거리느라 오른쪽 얼굴이 미세하게 돌아갔다며 곧잘 푸념을 하곤 했다. 그럴 때면 나는, 그래도 그 덕에 나와 같은 친구를 얻었으니 그 정도면 남는 장사가 아니냐고 응수했고, 그럼 녀석은 또 그건 네 말이 맞다는 듯 꽤나 진지하게 고개를 끄덕이곤 했다. 왜냐하면 그앤 뭐든 받은 만큼 돌려주어야 한다는 철저한 기브 앤 테이크식 인간관의 소유자였기 때문에. 결코 얌체이거나 인간미가 없는 것은 아니지만 제롬은 그런 놈이었다. 이번에 나 때문에 이렇게 귀국을 하는 것도, 틀림없이 그때 자기가 진 빚을 갚을 기회라고 생각해서일 것이다.

8. 발명가 제롬

녀석은 말랐고, 검은색 뿔테안경을 썼다.

직접 개발한 천 원짜리 저가 염색약을 쓰다 생긴 부작용 때문에 머리끝이 총채처럼 갈라지고 탄력이 없다고 해서 동기들이 붙여준 별명이 '총채'였다. 때로는 영화 〈웨인즈 월드〉에 나오는 부주인공과 모습이 비슷하다는 이유로 '웨인즈 월드'라고도 불렸지만 정작 본인은 어떤 별명도 인정하지 않았다.

발명가가 되겠다며 느닷없이 다니던 의대를 그만둔 지 반년 만에, 녀석은 연남동에 습하고 냄새가 퀴퀴한 지하실 하나를 얻었다. 공간이 깊고 달랑 하나 있던 창문 탓에 은근히 스산했던 곳. 그곳에서 녀석은 의대 시절 입던 하얀 가운을 가져다놓고 홀로 고독한 발명가 생활을 시작했다. 혼자서도 타로점을 볼 수 있는 적중률 90%의 '미스터 타로', 이마에 붙이고 자면 무슨 꿈을 꾸는지 홀로그램으로 재현이 된다는 '드림 밴드', 책을 자동 스캔해 원하는 목소리로 읽어주는 '책 읽어주는 로봇' 등, 경험이 쌓이면서 발명품의 스케일은 다양해졌지만 불행히도 결과는 연전연패. 상용화 과정에서 번번이 주저앉은 탓이었다. 녀석은 자신과 자신이 만든 것들이 이곳에서 받아들여지지 않는 상황을 일종의 폭력으로 받아들였고, 스스로 정한 단 한 번의 마지막 기회마저 실패로 돌아가자 낙담하여 아프리카로 떠나버렸다. 마치 희망을 잃어버린 낭인처럼.

제롬. 한국이름 김태일. 어렸을 때 동네 애들이 자꾸만 김정일이라고 놀리는 게 싫어 영어이름을 쓰기 시작했다. 열두 살 때 가족 전체가 보스턴으로 이민을 간 뒤, 대대로 의사였던 집안 식구들에게 오랜 피해의식에 시달리다 고등학교 이학년 때 홀로 한국에 돌아와 기어이 의대에 진학한 뒤 스스로 자퇴를 해버린다. 고지식한 원칙주의자이자 반항심 많은 외톨이 타입으로, 어려서 집안 어른들이 자신의 꿈이나 의견을 황당해하거나 대수롭지 않은 것으로 치부한 일을 트라우마처럼 간직해왔으며, 며칠 동안 뚝딱거리며 만든 걸 남들이 보지도 않고 건성으로 칭찬하는 일에 질려 작은 거라도 거짓말을 싫어했고, 또 의대를 간 그애보다 더 공부를 잘했던 형이 부모로부터 받은 약간의 편애로 인해 인간관계에서 공평하지 못한 것도 싫어하게 되었다. 그러다보니, 안 그래도 의심 많은 성격에 더더욱 사람을 잘 믿지 못하는 아이가 되었고, 친구가 별로 없었다.

물론 하느님이 내 사랑하는 친구에게 오로지 민감한 촉수만을 주신 것은 아니었다.

독립심이 강해 혼자 다녀도 꿋꿋했고, 정의감도 많아 다수보다는 늘 소수의 편에 서려 했으며, 법과 원칙, 도덕, 예의 같은 것들을 생명처럼 지켰고, 거짓말을 하지 않는 것은 물론 손해를 볼지언정 부정한 꼼수는 결코 용납하지 않았으며, 염치와 분수와 패션을 알았고(항상 컬러풀한 옷들을 즐겨 입었고 특히 헤어스타일에 관심이 많았다), 무엇보다 남의 시선보다는 자신이 원하는 삶을 살기 위해 노력하는 멋진 구석도 많은 놈이었으니까. 반면 나는 모든 면에서 반대였다. 친구는 많아도 늘 외로움을 탔고, 성격은 활달했지만 혼자서는 밥 한끼도 못 먹을 만큼 의존적이었으며, 결정적으로 나는 그애처럼 자신을 위해 뭔가를 갈구하고 찾아 나서는 타입이 아니라 인생을 그저 그러려니 하고 살아왔으니까.

세상의 가까운 사람들은 너무 비슷하거나 달라서 친구가 된다고 하는데, 그렇다면 우린 분명 후자일 것이다.

9. 카페 루카

루카는 작은 곳이었다.

번듯한 가게들 사이에 하도 깜찍하게 숨어 있어서, 하마터면 처음엔 있는지도 모르고 지나칠 뻔했었다. 옆자리와의 간격이 불과 삼십 센티미터가 채 될까 말까 한, 동그란 2인용 나무테이블이 달랑 두 개 있을 뿐인 미니 카페. 가게 정면 위쪽에 걸려 있는 아이보리색 아크릴 간판에는 진한 고동색 글씨로 '우리의 꿈과 자부심'이라는 유치한 문구가 가게 이름보다 더 크게 적혀 있었고, 그 밑 왼편으로 나 있는 투명한 통유리 문을 열고 들어서면 도무지 여백이라곤 없이 벽을 가득 메우고 있는 국적불명의 물건들이 딸랑거리며 손님들을 반겼다. 누렇게 금테가 둘린 머그컵, 이국적인 풍경이 그려져 있는 액자, 가늘고 길고 둥글고 뾰족한 모양의 각종 페넌트들, 오래된 보이스카우트 배지 같은 너저분한 기념품들.

뭐지? 이 우스운 가게는.

안에는 어른 셋만 들어가도 미어터질 것 같은 좁은 주방에 흰 조리복을 입고서 분주히 손을 놀리는 건장한 남자 둘이 있었다. 나이는 이십대 후반쯤으로 보였고 생긴 것도 비슷한 게 아마 둘이서 동업을 하는 것 같았다.

루카를 발견하던 그날. 이력서를 넣은 세 곳 중 한 곳에서 채용이 결정되어 문자로 합격통보를 받았다. 규모도 작고, 이제 막 시작하는 회사라 월급은 적었지만, 그래도 합격은 합격. 가족들에게 전화해 소식을 알린 후 뭘 할까 궁리하다 마침 동네 구석에 숨어 있기라도 한 듯한 이 작은 카페를 발견한 것이다. 처음 들어가서 한 시간 정도를 앉아 있는데 손님이 나밖엔 없었다. 덩치 큰 주인 둘이 주방에서 속삭이는 소리까지 바로 옆에서 말하듯 들려왔고, 벽에 걸린 잡동사니들이 누군가 문을 여닫을 때마다 새어 들어온 바람에 흔들거렸지만 가게 안의 공기는 이상하게 푸근했다. 그리고 놀랍게도, 그곳의 음식들은 맛이 있었다.

주말 이틀 동안, 대학 후배들과 함께 스키를 타러 용평에 다녀온 뒤 다시 월요일. 제롬이 오려면 아직 며칠 더 기다려야 해서 나는 또 한번 루카엘 가기로 했다. 은근히 옆 테이블에 여자라도 앉아 있길 기대하면서.

뜻밖이었다. 이렇게 예상치 못한 곳에서 만나게 될 줄은. 캐럴이 흐르는 가게 문을 열고 들어서는데, 안쪽 구석자리에 하필 그 사람이 앉아 있었다. 왜 번번이 그렇게 되는 건지는 모르겠지만, 나는 또다시 그 앞에서 어쩔 줄 몰라 머뭇거렸고 그는 지난번과는 다르게 호탕하게 웃으며 내게 인사를 건넸다.

"왜, 여자라도 앉아 있을 줄 알았나!"

"아, 안녕하세요."

얼떨결에 큰 소리로 답하며 창가 쪽 옆자리에 그를 마주보고 앉으니, 좁은 공간 탓에 역시나 둘이서 합석을 한 꼴이 되어버렸다. 이 사람은 우리 앞집, 그러니까 동네에서 하나뿐인 삼층집에 사는 인물로, 동네 구조상 우리집 옥상을 내려다볼 수 있는 거의 유일한 사람이었다. 지난주였나, 골목에서 아이들이 떠든다며 누군가 더 큰소리로 소란을 피우길래 밖을 내다보니 7 대 3 옆가르마로 참 단정하게도 머리를 빗어 넘긴 어떤 남자가 날씨도 맑은데 우산을 펴들고선 애들한테 불같이 화를 내고 있었고, 그게 내가 본 그의 첫 모습이었다. 애들이 좀 떠든다고 무슨 화를 저렇게까지 낼까 의아해 지켜보던 난 그가 앞집 삼층에 산다는 사실을 알곤 부리나케 골목까지 쫓아 내려갔다. 혹시 안면을 터서 친해지기라도 하면 집으로 놀러가 우리집 옥상을 훔쳐볼 수 있을지 모른단 생각에서였다. 하지만 사람을 대하는 태도가 너무 뚱해 그땐 말한마디 제대로 붙여보지 못하고 돌아서야 했었는데, 이런 곳에서 다시 만나게 될 줄이야…….

"몇 살이지? 그런데 내가 말을 놓아도 되는지 모르겠네."

그는 손에 든 노트에 펜으로 뭔가를 끄적이며, 주문한 타르트를 야금야금 먹고 있던 내게 말을 건넸다.

"서른한 살이요." 나는 대답했다.

"좋다. 나는 마흔두 살. 나도 좋지?"

"아, 네……."

생각보다 나이가 많구나. 그가 입꼬리를 올리며 웃어 보이자, 눈가에 하회탈처럼 굵은 주름이 졌다. 하악이 살짝 나왔으나 흉할 만큼 각지지 않아 적당히 매력이 있었고, 낮게 깔리는 목소리가 어른스러웠다. 못생기지도 않았지만 결코 잘생겼다고도 할 수 없는 얼굴. 그가 하던 일을 다 마쳤는지 이내 붙들고 있던 노트를 접어 가방에 넣은 후 사뭇 인자한 미소를 띠며 나를 바라보았다.

"그건 그렇고, 지난번에 나한테 뭔가 물어보려 했던 것 같던데."

"아, 그거요……." 안면을 튼 것만도 감사할 판에 난 어쩐지 흥분이 돼 급히 타르트 하나를 더 시키고는 그의 마음이 변할까 서둘러 질문을 던졌다.

"저희 집 앞 삼층집에 사시는 것 같던데. 혹시 댁에서 저희 집 옥상이 보이나 해서요."

"옥상?" 그는 나의 뜬금없는 물음에 예의 그 뚱한 표정이 되더니 거리낌없이 '보이지'라고 대답했다.

'아…… 역시 별게 없는 걸까.'

"저…… 사실은 그 옥상에 뭐가 있는지 궁금해서요. 이렇게 말씀드리면 이상하게 생각하실지 모르지만 밤마다 이상한 소리가 나서……."

"소리가 난다구?" 그가 너털웃음을 지었다. "그러면 직접 올라가보면 될 것 아닌가."

"그게…… 저는 얼마 전에 이사를 왔거든요. 그런데 무슨 이윤지는 모르겠지만 옥상엘 올라가지 못하는 조건으로 계약을 했어요." 나는 그가 묻지도 않은 말을 줄줄이 늘어놓기 시작했다. "처음엔 그렇게 궁금한 것도 아니었는데 조금 이상하다는 생각이 드는 거예요. 글쎄, 집에 옥상으로 올라가는 계단이……" 나는 무슨 큰 비밀이라도 되는 양 목소리를 낮춰 속삭였지만 그는 여전히 대수롭지 않다는 듯 내 말을 끊었다.

"쥐새끼나 뭐 그런 거 아닐까?"

"저도 그렇게 생각했지만 동물이 내는 소리라기엔 너무…… 하하. 꼭 옥상에 뭐가 있다는 건 아니고요, 실은 대학 다닐 때 탐정 동아리에 있었거든요. 워낙 호기심이 많아서……."

그는 고개를 숙인 채 별로 웃지 않는 표정으로 커피를 한 모금 홀짝였다. 이따금씩 눈을 치켜뜰 때면 내 말엔 관심이 안 가는지 뭔가 다른 생각을 하는 것 같아 보이기도 했다.

"평소에 뭐 별다른 게 보이진 않으셨나보죠?"

"옥상이 옥상이지 뭐. 안 쓰는 물건들 여기저기 뒹굴고 시든 화분 몇 개 있고. 대체 옥상에 뭐가 있길 바라지? 우주선? 비밀기지?"

'네, 제가 바라는 게 바로 그런 것들이에요.' 마음속으로 익숙한 실망감이 밀려왔다.

잠시 후 여덟시쯤, 그가 자리에서 일어났기 때문에 옥상에 대한 얘기는 그것으로 끝이었다. 뭐, 더 할 얘기도 없었지만.

그가 계산을 하려고 바지춤에서 지갑을 꺼내는 동안 나는 자몽타르트를 하나 더 먹고 가려는 생각에 추가로 주문을 하는데, 그런 나를 보더니 그가 말했다.

"자네는 인생이 별로 달콤하지 않은가봐. 빵을 그렇게 많이 먹는 걸 보니."

가슴이 쿵 하고 내려앉는 기분이었다. 생각해보면 여기 와서 삼십 분 남짓 있는 동안에 타르트를 세 개나 먹었으니 결코 적은 양이 아니긴 했다.

"저요? 지금 제가 별로 달콤한 상태가 아닌 건 맞는데 행복한 사람들도 빵은 먹잖아요." 나는 은근한 반발심이 들어 대꾸했다.

"행복한 사람은 자네처럼 빵을 많이 먹진 않지. 어쨌든 또 보자구."

휙 돌아서는 그에게 안녕히 가시라고 인사하자 그는 문을 열려다 말고 돌아서더니 내게 물었다.

"근데 자기 이름이 뭐지?"

"박용우라고 합니다."

"박용우. 좋은 이름이네. 나는 용휘야. 김용휘. 이름 되게 촌스럽지? 아무튼 또 보자구."

"네, 또 봬요. 안녕히 가세요."

그가 가버린 후, 나는 새 타르트를 잘라먹으며 생각했다. '뭐, 인생이 달콤하지 않아서 빵을 먹는다고? 그럼 제과점에 드글거리는 그 많은 사람들은 전부 인생이 불행해죽을 것 같아서 그렇게 빵을 먹는단 말야?' 나는 그의 말에 동의할 순 없었지만 이상하게 신경이 쓰였다. 그가 무엇을 꿰뚫어 보았는지는 모르겠으나 원래 단것을 별로 좋아하지 않던 내가 희수와 헤어지고 나서부터 이렇게 많이 먹기 시작한 건 사실이었으니까. 나는 어쩐지 찜찜해져 주문한 타르트를 서둘러 먹어치운 후 곧 자리에서 일어났다. 계산을 하면서, 나는 그제서야 이 집 주인 청년들이 쌍둥이라는 사실을 알았다.

10. 질문

골 때리는 사람이었다.

글쎄 처음 얘기 나눈 사이에 인생이 달콤하지 않아서 빵을 먹는다는 그럴싸한 말로 사람을 홀리더니만, 그 말은 계산대 옆 벽에 이미 쓰여 있던 글귀가 아닌가.

당신의 달콤하지 않은 인생을 채워줄 환상적인 베이커리.

푸하하하. 계산을 하고 돌아서다 그걸 발견하고는 얼마나 웃었던지. 애초 그에게 접근하려던 목적은 이제 사라졌지만, 어쩐지 그날 이후로 나의 발걸음은 날마다 루카로 향하게 되었고 그때마다 그는 늘 그곳에 있었다. 그는 커피를 좋아했는데 나와 달리 루카의 커피맛에 후한 점수를 주었고 늘 설탕을 듬뿍 타서 마셨다. 알고 보니 나보다도 더 단 것을 좋아해 종종 내가 시킨 타르트를 포크로 찍어 먹을 정도였다. 하지만 그렇다고 해서 우리가 그새 그 정도로까지 친해진 것은 아니었다. 그렇지만 그는 만나자마자 반말을 해도, 아직 친해지기도 전에 남의 케이크를 베어먹어도 왠지 기분이 나쁘지 않은 그런 사람이었다.

그는 늘 오후가 되면 비슷한 차림으로 루카에 나와 두어 시간 정도 앉아 있다가 저녁이 되면 어김없이 어디론가 가곤 했다. 뭔진 몰라도 밤에 일을 하는 것 같았다. 가게를 나서기 전엔 항상 거울을 보며 7 대 3 비율로 가르마를 타 고정한 머리를 꼭 한번 더 매만졌고, 문을 열고 나가는 즉시 날씨와 상관없이 우산을 썼으며, 한 번도 집이 있는 방향으로 가는 걸 본 적이 없었다.

나는 루카에서 그와 시간을 보내는 일이 즐거웠다. 입이 좀 걸긴 해도 세상 돌아가는 일에 밝고 말도 맛있게 하는 편이어서, 그와 대화할 때면 난 귀가 두 배로 커지는 것만 같았다. 우리는 언제나 각자의 테이블에 앉아 이런저런 너저분한 이야기들을 나누며 때로는 각자의 할 일을 했는데, 그는 종종 쌍둥이들에게 저질농담을 걸거나 가끔 신문 같은 것을 볼 때도 있었고 특히 그림을 자주 그렸다.

"난 지방에서 미대를 나왔어. 대학엘 못 가고 빌빌대니까 부모님이 억지로 넣어주셨거든."

부모님과 어린 시절에 대한 자부심이 대단한 사람인 것 같았다. 종종 우리 동네 골목에서 멀찍이 보이는 성북동 언덕길의 부잣집들을 가리키며 그곳에서 자랐다고 자랑을 할 정도였으니까.

어느 날, 그가 들고 다니던 작은 스케치북에 워리를 그려 내게 주었을 때, 나는 아이처럼 기뻐했다. 워리가 안 어울리게 행복한 표정을 짓고서 어디론가 가고 있는 그림이었다. 그는 내가 루카로 녀석을 데려가면 혼자서 워리를 데리고 동네 산책을 시키기도 하고 동물병원에 들러 개 껌도 사주곤 했다. 그래서인지 워리도 그런 그를 무척 따랐고, 특히 만나는 횟수가 잦아질수록 나는 그에게 점점 더 많은 질문을 던지기 시작했다. 나는 누가 좋아지면 그 사람에게 질문을 하는 버릇이 있기 때문이었다.

11. 초대

커다란 여행용 슈트케이스 두 개를 하나씩 나눠 들고

우리가 집 안으로 들어서자 워리는 배를 보이며 바닥에 누워서는 꼬리를 프로펠러처럼 돌리며 제롬을 반겼다. 삼 년 만이긴 했지만 그 비맞은 총채처럼 축 늘어진 머리를 여전히 하고 있었으니 알아보는 것도 무리는 아니었다. 나는 제롬에게 우선 집 구경을 대충 시켜준 뒤 식탁에 앉아 녀석을 위해 모처럼 내가 마련한 반찬을 놓고 함께 밥을 먹었다.

"그나저나 진짜 옥상으로 올라가는 계단이 없네?" 오랜만에 먹는 찌개에 속이 풀리는지 녀석이 꺼억 트림을 하며 말했다.

"흠……. 내가 생각을 좀 해봤는데 옥상에 올라갈 수 있는 방법이 아주 없는 건 아니야. 스파이더맨처럼 강력한 빨판을 만든 다음 벽을 타고 올라가면……"

"그럴 필요 없어, 제롬." 나는 녀석의 말을 끊었다. "옥상엔 아무것도 없다는 걸 확인했으니까."

"정말이야? 어떻게?"

"앞집 사는 사람한테 물어봤어. 그냥 다른 옥상이랑 똑같은 곳인가봐."

"저런." 녀석은 나만큼이나 실망하는 눈치였다.

"늘 그렇지 뭐. 정말 특별한 일은 일생에 한 번 정도밖엔 일어나지 않는 법이니까."

"한 번도 안 일어날 수도 있고. 후후."

우리는 수사반장 시절 별것도 아닌 사건이 허망하게 종결될 때마다 습관처럼 나누던 대사를 오랜만에 주고받으며 웃었다.

다음날. 늦은 아침을 먹고 나서 우린 제일 먼저, 자주 가던 대학로의 카페 학림으로 향했다. 제롬이 오랜만에 그곳의 유자차를 마시고 싶어 했기 때문이다.

삐걱거리는 나무계단을 걸어올라 익숙한 문을 열고 들어서니 늘 앉던 이층 구석자리가 마침 비어 있었다. 우리는 냉큼 그곳을 차지하고선 주방과 카운터가 있는 아래층을 내려다보며 밀린 이야기를 나눴다. 일, 여자, 가족들의 근황, 동기 녀석들 소식……. 모든 것이 그대로였다. 우리 목소리가 커질 때마다 눈총을 주는 주인아저씨, 오래되어 꺼진 쿠션이 오히려 아늑한 의자, 참나무로 된 탁자, LP판이 가득 꽂혀 있는 카운터 위 찬장, 변함없이 흐르고 있는 이름 모를 클래식 음악들. 이 모든 학림 특유의 분위기가 변하지 않고 고스란히 남아 우리를 반기고 있었다.

"곧 크리스마스잖아. 여자친구는 있어?"

급한 대로 밀린 얘기들을 쏟아놓고 나서 분위기가 약간의 소강상태를 보일 때쯤, 사정을 뻔히 아는 놈이 실없는 농담을 던져온다. 나는 굳이 화제를 돌리고 싶진 않았지만 사실 그 문제라면 별로 할말이 없었다. 아직 누굴 만나고 싶다는 생각이 들 정도는 아니었으니까. 다만 그때, 나는 어떤 아이디어 하나가 떠올라 녀석에게 크리스마스 파티를 제안했고, 그것을 여자가 있다는 사인으로 오해한 녀석은 흥분하며 자기가 멋진 크리스마스트리를 만들어주겠노라 약속했다.

'나의 새 그녀'를 위해서.

하지만 와줄까? 난 어쩐지 자신이 없어 며칠 뜸을 들이다 21일이 되어서야 겨우 루카로 갔다. 오후 다섯시. 그는 어김없이 그곳에 있었다.

"뭐하세요?" 나는 쌍둥이들에게도 인사를 건네며 자리에 앉았다.

"똑같지 뭐. 그림을 조금 그렸어."

테이블 위엔 짧고 뭉툭한 4B연필 하나가 뒹굴고 있었다. 나는 속으로 생각했다. 혹시 크리스마스에 이미 만날 사람이 있다면? 아님 크리스마스 같은 거 관심 없다고 한다면? 나는 창밖을 내다보며 언제쯤 말을 꺼낼지 망설였다. 밖에서는 워리가 내리는 눈을 먹으려고 입을 벌린 채 이리저리 뛰어다니고 있었다.

"저, 아저씨."

"형이라고 부르라니까."

"아, 네." 하지만 난 그에게는 왠지 형이라는 말이 나오지 않았다.

"혹시 크리스마스에 뭐하세요?"

그는 고개를 수그린 채 나를 보지도 않고선 그리던 그림에 열중하며 말했다.

"왜, 초대하게?"

"앗, 어떻게 아셨어요?"

"아니면 왜 묻겠어. 좋아. 장소는?"

"와…… 족집게시다. 저희 집이에요. 죄송하지만 여자는 없고요."

그가, 그것만은 곤란하다는 듯 양손을 든 채 이맛살을 장난스레 찌푸려 보였다.

"하하. 불편하지 않으시면 이번에 제 친한 친구가 귀국을 해서 같이 살게 됐는데 재밌는 애거든요. 남자끼린 하지만 셋이서 놀면 어떨까 싶어서요. 혹시 다른 분과 약속이 있으시면……"

"그런 건 없어. 그 다른 분은 아주 멀리 있거든."

"아…… 네. 그럼 오시는 거예요?" 나는 그가 승낙을 하리라는 생각에 삐져나오는 웃음을 참으며 물었다.

"그러지 뭐. 그럼 24일 저녁이 되겠네?"

"한 여덟시쯤 어떨까 싶어요."

"알았어. 내가 와인 한 병 들고 가지."

나는 주문도 하지 않고서 그길로 루카를 나와 한걸음에 집으로 달려 갔다. 남은 날은 단 사흘. 우선 스파게티를 만들기 위해서 장을 좀 보고, 제롬과 아저씨에게 크리스마스 선물로 줄 책도 한 권씩 사야지. 케이크는 루카에 주문해야겠다!

나는 이렇게 남자들끼리 모이는 것도 나쁘지 않겠구나, 생각했다.

12. 크리스마스

"어서 오세요. 집이 좁죠."

대답 대신 웃음을 띠며, 그가 검은색 패딩 차림으로 성큼 집 안으로 들어섰을 때, 우리집 거실 구석에는 제롬이 꼬박 이틀 밤을 새워가며 만든 총천연색 크리스마스트리가 수줍게 반짝이고 있었다. 워리가 꼬리를 흔들며 손님을 반기는 동안, 그 옆에서 좀비처럼 멍하니 서 있던 제롬은 그가 악수를 청하자 그제서야 손을 맞잡으며 꾸벅하고 고개 숙여 인사를 했다. 나는 녀석의 따가운 시선을 뒤로한 채 우선 두 사람을 식탁에 앉힌 다음 서둘러 스파게티를 내오고 와인을 땄다.

"태어나서 남자 셋이서, 그것도 처음 보는 사람과 크리스마스를 보내보긴 처음이에요." 허탈한 얼굴로 잔을 치켜든 제롬이 말했다.

"나도 마찬가지야." 그가 받았다.

"나도. 자, 건배!"

"건배!"

동네 마트에서 급히 사온 칠천오백 원짜리 싸구려 와인잔 안에서 그가 가져온 붉은 포도주가 맛있게 출렁였다. 기묘한 시간이었다. 나도 아직 그를 잘 모르면서 제롬에게 소개하고, 그는 우리에게 자신을 소개했다. 자기는 부모 잘 만나 저 삼층짜리 건물에 혼자 살면서 이렇게 저렇게 빈둥대며 살아가는 놈팽이 김용휘라며.

'혼자 산다고? 저 큰 집에서?'

삼십 분쯤 후, 내 생각에는 꽤 맛있었던 토마토소스 스파게티를 다 먹고 나서 남자인 우리가 할 수 있는 일은 이제 댄스도, 게임도 아닌 오직 술 마시는 것밖엔 없었다. 식탁을 대충 치운 뒤 내가 마루에 간이 테이블을 놓고 술과 치즈와 타르트를 가져다놓는 동안 그는 천천히 집 안을 둘러보다 현관 옆 책장 위에 놓여 있는 구식 라디오를 보더니 전원 스위치를 눌렀다.

— 그러니까요, 참 독특한 캐릭터를 구축한 것 같아요.

— 네, 저도 그 점을 작가의 성공요인으로 꼽고 싶습니다. 아무래도 책을 읽지 않는다는 것이……

그날, 제롬은 오랜만에 새로운 사람을 만나 흥분한 탓인지 너무 빨리 취했고, 혼자서만 너무 많은 이야기를 쏟아냈다. 이야기를 돌아가며 해야 하는데 녀석은 그런 배려를 전혀 하지 못하고 있었다. 신비의 자동 파마기로 시작된 이야기는 그놈의 아홉 색깔 무지개를 거쳐 듣기에도 낯뜨거운 사슴로봇 제작기로 쉴 틈 없이 이어졌다.

"원래 제가 제일 싫어하는 게 다수가 소수를 몰아붙이고 인정하지 않는 거거든요. 우리나라가 특히 그런 경향이 강하잖아요."

경계심 가득한 눈을 굴리며, 녀석은 그의 반응을 살폈으나 별달리 동의하는 빛이 없자 하는 수 없다는 듯 스스로 말을 맺었다. "그래서 나이로비로 가게 됐어요. 어디든 날아가서 무리지어 사냥하는 것들을 혼내주고 싶었거든요."

그래서 실제와 똑같은 사슴로봇을 만들어 사자들을 혼내주고 싶었다는 둥, 원래 동물을 끔찍이 사랑하지만 그때만 해도 맹수에 대해서만큼은 일종의 왜곡된 적개심 같은 것이 있었다는 둥, 물론 지금은 뼈저리게 후회하고 있으며 평생 동물들에게 빚진 심정으로 살 거라는 둥, 와인이 동날 때까지 녀석은 구구하고 긴긴 이야기를 늘어놓았다. 그는 이야기를 들으며 간간이 캔맥주를 홀짝였고, 다른 날보다 좀더 많은 타르트를 먹었으며, 가끔 생각에 잠긴 눈으로 녀석을 쳐다보았다.

그렇게 마치 브레이크가 고장난 기관차처럼 떠들어대던 녀석은 라디오에서 열두시를 알리는 종소리가 땡 치고 나서야 그 자리에 뻗어버렸고, 비로소 고요가 찾아왔다.

크리스마스였다.

"아저씨가 좋은가봐요. 처음 보는 사람한테 저렇게 말을 많이 하는 애가 아닌데……."

"후후…… 재밌는 친구야. 근데 사자들이 다치기라도 했음 어쩔 뻔했어."

"그러게요. 그래도 애가 좀 특이해서 그렇지 나쁜 친구는 아니에요."

"나도 나쁘다고 생각하진 않아. 다만……" 그는 거실 벽에 걸린 해바라기 모양의 시계를 힐끗 올려다보더니 말했다.

"나는 네가 왜 나를 초대했는지 생각해봤어." 그가 난데없이 화제를 돌렸다. 이런 식의 대화법은 처음이었다.

"그야 뭐 좋은 분 같아서…… 말씀하시는 것도 재밌으시고요."

"물론 내 얘기는 재밌지. 재미가 없으면 안 되기도 하구."

나는 이 사람이 또 무슨 이야기를 하려나 싶어 가만히 기다리고 있었다. 접시엔 그 많던 타르트와 빵들이 싹 비워져 있었다.

"내가 볼 때 넌 지금 여자를 만나기 두려워하고 있는 것 같은데 아닌가? 내가 넘겨짚은 거야?"

갑자기 술기운이 조금 오르는 것 같았다. 그러고 보니 이상하지 않은가. 이 좋은 날 내가 왜 사십이 넘은 아저씨랑 이러고 있는 건지. 라디오에서는 바브라 스트라이샌드의 〈더 웨이 위 워〉가 막 흐르기 시작했다. 68세 생일을 맞아 그녀가 데뷔했던 뉴욕 뱅가드 클럽에서 사십팔 년 만에 가진 공연 실황이라고 디제이는 말하고 있었다.

"괜찮다면 너에게 슬픔을 준 사람에 관한 얘기를 좀 들을 수 있을까?"

"후…… 모르겠어요. 어디서부터 이야길 해야 할지……."

말은 그렇게 했지만 어쩐지 그의 리드가 자연스러워서, 나는 곧 나도 모르게 이야기를 하기 시작했다.

"좋아요. 맨 마지막날 이야기를 하죠. 우린 칠 년을 만났는데 작년 9월 새벽에 그애한테 헤어지자는 문자를 보냈어요. 알아요. 문자로 이별 통보하는 거 별로라는 거. 하지만 여름에도 한번 헤어지자고 말했다가 그애가 잡은 뒤로는 더는 얼굴 보고 말할 자신이 없었거든요."

— 우리 이제 그만하자. 부탁이니까 연락하지 말아줘.

"하지만 연락이 왔고, 나는 또 그애가 나오라는 대로 나갔고, 평소와 똑같이 영화를 보고, 저녁을 먹고, 아무 일도 없었던 것처럼 시간을 보내다 마지막으로 늘 가던 성산동의 카페에 가서, 저는 말했어요. '너는 더이상 나를 사랑하지 않는다'고. '이제 내 말이라면 아무리 작은 것이라도 믿지 않고 나를 존중하지도 않는다'고. 아무 말도 하지 않더군요. 다시는 보지 못한대도 더는 해줄 수 있는 게 없었던 거죠."

똑딱똑딱. 마루에 걸린 해바라기 모양의 시곗바늘 소리가 유난히 크게 들려왔다. 언젠가, 내가 처음 독립하느라 방을 구할 때 그애가 선물로 사준 것이었다.

"그러곤 끝이었어요. 마지막 코스로 그애를 반포의 집까지 바래다주면서…… 내가 필요할 땐 언제든지 부르라고 말했지만 그런 날은 오지 않았으니까. 그리고 왜 그랬는지 전 그다음날, 헤어지기 위해 갔던 카페에 혼자 다시 갔고 그때부터 그애가 늘 즐겨 먹던 자몽타르트를 먹고 재스민티를 마시기 시작한 거예요." 나는 어느새 이야기를 그만하고 싶어졌다. "근데요, 전 아직도 우리가 왜 헤어졌는지 솔직히 잘 모르겠어요. 저 엄청 병신 같죠. 근데 정말 궁금해요. 이유라도 알면 덜 고통스러울 것 같았는데 마지막 만났을 때도 두 시간 동안 떠든 건 나였지 그 애는 아니었거든요."

"흠……."

그는 어느새 담배를 피우며 내 이야기를 듣고 있었다. 트리에 걸린 전구가 따뜻하게 반짝였고, 거실엔 라디오 소리가 무심히 흐르고 있었다.

"일 년 동안 아무하고도 하지 않았어?"

"네?"

"여자랑 안 잤냐고."

"상대가 있어야 하죠."

갑작스런 그의 물음에, 나는 조금 당황스러웠다. 어색해하는 나를 보며 그는 한일자로 입을 한번 굳게 다물어 보이더니 말을 시작했다.

"죽도록 사랑했던 사람과 헤어지고 나면 다른 사람과 하는 첫번째 섹스에서 사람은 아득한 슬픔을 느끼지. 난 삼 년 전에 이별을 했거든. 좋아했어. 정말 많이. 그런데 헤어졌어. 헤어지는 데 이유가 있나? 있다 해도 그건 누구도 알 수 없는 거야. 난 내 몸 위에 포개져 있는 여자의 벗은 몸을 보면서도 그녀와 내가 왜 헤어졌어야 했는가를 생각하고 있었지. 아니 오히려 더 또렷해졌다고 할까? 난 궁금했어. 도대체 왜 이런 곳에서 이 낯선 여자와 내가 한 침대에 있는 거지? 왜 넌 날 이렇게 내

버려두는 거지? 난 그 여자와 더이상 할 수가 없었어. 내 몸에 닿는 누군가의 살이 마치 돌덩이 같았지. 그래서 미안하다고 하고는 다시 옷을 입었어. 여자는 당황해서 화가 났냐고 물어보더군. 아니, 왜 화가 나겠어. 난 다만 궁금할 뿐이었다고." 이번엔 내가 듣고만 있었다. "90년도 말이던가, 중학교 삼학년 때 헤어졌던 첫사랑 여자애를 그놈의 아이러브스쿨 때문에 무려 십오 년 만에 다시 만나 그토록 궁금했던 나를 차버린 이유를 물어봤지. 그랬더니 뭐랬는지 알아?"

그는 허탈한 듯 우유갑을 접어 만든 재떨이에 담뱃재를 떨며 말했다. "나는 인문계 고등학교를 갔는데 자기는 비인문계를 가게 돼서 자격지심 때문에 그랬다는 거야. 세상에! 난 그때까지 틀림없이 내가 뭔가 잘못했기 때문이라고 굳게 믿었었는데. 십오 년 만에 아무렇지도 않게 그 얘길 하는데 얼마나 어이가 없던지……. 사람이 누굴 좋아하고 헤어지는 데 이유라는 게 그렇게 부질없는 거더라고. 그러니 누굴 어떻게 만나든 아, 우린 그냥 만날 수밖에 없어서 만났구나, 그러다 헤어져도 아, 헤어질 수밖에 없어서 헤어졌구나 하고 받아들여야 하는 거야. 이유 같은 거 백날 고민해봤자 헤어졌다는 건 달라지지 않으니까."

새벽 한시. 라디오에서는 처음 들어보는 여자 재즈가수가 〈섬웨어 오버 더 레인보〉를 처연히 부르고 있었다. 우리는 워리가 잠결에 일어나 단맛이 강한 허니브레드 시리얼을 부스럭거리며 먹는 모습을 말없이 바라보았다.

"특이하군." 그가 말했다.

"뭐가요?"

"무슨 개가 단걸 저렇게 좋아하지? 보통 개들은 그냥 사료를 먹잖아."

"그러고 보니 그러네요."

나는 기르면서 한 번도 의식 못한 일이었다. 나는 그저 녀석도 당연히 내 식성을 따라가는 거라고만 생각했으니까.

우리는 좀더 이야기를 나누며 남은 술을 마시다 새벽 세시가 되어서야 자리를 파했다. 방에 둔 그의 외투를 가지고 나와 준비해둔 선물과 함께 건넸더니 현관 앞에 서 있던 그가 의외라는 표정을 짓는다.

"그냥 책이에요. 크리스마스잖아요."

나는 민망하게도 텅 비어 있는 거실의 책장을 애써 외면하며 말했다.

"허허, 고맙긴 한데 난 책을 못 읽어. 그래도 갖고 있는 건 좋아하니까 잘 받을게."

"책을 못 읽으신다고요? 왜요?"

"그냥. 보면 졸리잖아."

"그거야 다 그렇죠. 그럼 다음엔 그림책으로 드려야겠다."

"그림책 좋지. 암튼 오늘 즐거웠어. 또 보자구."

그는 손을 가볍게 들어 보이곤 문을 열고 나가려다 이번에도 갑자기 뭔가 생각났다는 듯 뒤로 돌아서서는 이렇게 말했다.

"근데 말야, 만약…… 언젠가 내가 너한테 한 가지쯤 무례를 범한다고 해도 용서해줄 수 있겠냐?"

'무례? 무슨 무례를 말하는 거지?'

나는 그게 뭔지는 알 수 없었지만 그러겠다고 했다. 뭐 딱히 해가 되는 일은 아니겠지. 참 알 수 없는 말을 잘하는 사람이었다. 나는 문 앞까지 그를 따라나섰고 워리가 처진 걸음으로 꼬리를 흔들며 나보다도 멀리 나가서 그를 집 앞까지 배웅했다.

13. 모임

크리스마스를 함께 보낸 뒤로

우리 셋은 일요일 밤이면 종종 모여 술판을 벌이는 사이가 되어갔다. 나중엔 횟수가 잦아지면서 무슨 모임처럼 되어버렸는데, 다만 모이는 장소가 항상 우리집이라는 것이 제롬의 불만이었다.

"술 마시는 거? 나도 좋아. 같이 있음 재밌는 사람이라는 것도 알겠어. 그런데 너도 알겠지만 난 사람과 사람 사이는 기브 앤 테이크라고 생각하거든. 우리가 하나를 줬으면 그 사람도 우리한테 뭐가 됐든 하나는 줘야 해. 그 사람이 그랬잖아. 연애는 절대 5 대 5가 될 수 없는 거라고. 언제나 6 대 4거나 3 대 7이거나 8 대 2일 수밖에 없는 거라고. 하지만 우린 연애를 하는 게 아니니까 5 대 5가 되어야 맞는 거 아냐? 우리집엘 왔으면 자기 집에도 한번 불러야지."

제롬이 그럴 만도 했던 게, 어째선지 그는 우리집에서만 모임을 하려 들었고 코앞에 있는 자기 집으로의 방문은 허용하지 않았다. 그러니 그의 일방통행이 분명 녀석의 속을 긁어버렸던 것이다.

"진정해. 지금은 처음이니까 일단 하자는 대로 하고 시간이 조금 지나서 더 친해지면 말해보자. 무슨 사정이 있는지도 모르잖아."

"좋아. 하지만 앞으로도 계속 이런 식이면 내 입으로 직접 얘기하겠어. 아저씨네 집도 한번 가보자고. 그건 문제없겠지?"

"그럼, 그럼."

그러나 걱정과는 달리 모임은 그럭저럭 굴러갔다. 무엇보다, 그가 언제나 도맡아 가져오는 비싼 술과 안줏거리가 제롬이 불만스러워하는 모임 장소에 대한 불공평함을 상쇄시켜줬고, 또 그가 들려주는 나이든 사람 특유의 구성지고 재미난 이야기들에 나는 물론 제롬 또한 겉으로는 심드렁해하면서도 은근히 흥미를 보였기 때문이었다.

특히 그는 여자에 관해서만큼은 정말 한두 번 놀아본 솜씨가 아니었는데, 나는 한 번도 가보지 못한 룸살롱 정도는 거의 동네 카페에 가듯 들락거리는 것 같았고, 무용담 수준으로 풀어내는 연애사는 나처럼 한 여자만 칠 년씩 좋아하는 숙맥들은 상상도 못할 내용들이 많았다. 언제는 갑자기 지금껏 사귄 여자들이 보고 싶어서 자기가 죽을병에 걸렸다고 전화를 돌려 그녀들을 한자리에 모이게 한 적도 있다는데, 그가 그런 뻥인지 진짠지 모를 얘길 할 때면 고지식한 제롬은 나를 붙잡고 저게 믿어지냐며, 저 사람 구라쟁이 아니냐고 흥분하곤 하였던 것이다.

"하하, 나도 모르겠다. 저 사람이라면 충분히 그럴 수 있는 사람 같기도 하고……."

생각하는 거며 행동하는 게 너무 달라 자주 아옹다옹하긴 했어도,

사람을 그렇게 가리는 제롬이 그와의 만남을 꺼리지 않는 것만 해도 내겐 신기한 일이었다.

한번은 제롬이 사무용 가방으로 위장된 음식배달용 손가방 하나를 만들었는데 그는 그걸 보더니 대뜸 너는 손재주가 좋으니 거시기도 크겠다고 한 적이 있었다. 그러자 제롬은 그런 근거도 없는 비과학적인 말이 어디 있느냐 반문하면서도 속으로는 뜨끔해했는데 왜냐하면 녀석의 거시기가 정말로 컸기 때문이었다. 과학적인 논증을 거치지 않은 이야기들을 질색하는 녀석으로선 그가 늘어놓는 특유의 이야기들이 내심 못마땅하면서도 귀가 커지는 것을 숨기지 못했고, 그렇게 녀석에게 그는 마냥 밀어낼 수도 마냥 좋아할 수도 없는 존재로 자리잡아갔다.

일요일마다 셋이 모여 술잔을 기울인 지도 두 달이 되어가던 어느 날 밤. 현관 앞에 나가 담배를 한 대 피워 물고는 맞은편 코앞에 있는 그의 집을 바라보았다. 불은 꺼져 있었다. 다른 집들보다 크기만 약간 더 큰 삼층짜리 붉은 벽돌집. 부모님에게 장가 밑천이라고 뻥을 쳐서 미리 유산처럼 받아낸 건물이라는데, 얼마나 돈이 많으면 저 큰 집에 세도 주지 않고 저렇게 혼자 사는 걸까.

"아저씬 밤마다 어딜 그렇게 가세요?"

"응, 놀러."

그러니까 누구와 뭘 하길래 그렇게 매일같이 놀러다니는지, 정말로 일은 아무것도 안 하는지, 왜 같이 사는 사람이 없는 건지 알고 싶었지만 한 번도 속시원한 대답을 들은 적은 없었다. 조금만 캐들어가려고 하면 어떻게든 둘러댔고, 아무튼 그와 마주하고 있으면 어쩐지 사적인 얘길 하기가 주저되었다. 뭐랄까, 조금 친해지는 듯하다가도 그에게선 늘 어느 정도 선 이상은 허용하지 않을 것만 같은 어떤 완고함 같은 것이 느껴졌기 때문에 이런 그를 보며 제롬은 그가 우리와 달리 자신을 속시원히 오픈하지 않는다며 툴툴댔지만 난 시간이 지나면 해결될 문제라고 여겼기에 크게 괘념치 않았다.

봄비가 내리던 어느 날이었다. 나는 집 근처 실내 포장마차에서 용휘와 단둘이 소주를 마시고 있었다. (우린 우리끼리 있을 땐 그를 그냥 용휘라고 불렀는데, 이상하게 그에게는 형이라는 말이 잘 나오지 않았다.)

"어쩌면 진작 끝냈어야 했는지도 몰라요. 난 그애가 두려웠고, 그애 없는 내가 두려웠고, 그냥 모든 게 다 두려웠으니까. 결국 두려움이 그애를 잃게 만든 거예요."

"자책할 필요 없어. 좋아하니까 두려운 거지. 잃기 싫으니까."

춘삼월. 좋은 시절이었다. 꽃은 피고 벌은 날아다니고, 나는 무엇이든 물어볼 수 있는 새 친구가 생겼으니. 그가 부모 잘 만나서 호의호식하며 놀고먹는 한량이든, 여자라면 사족을 못 쓰는 바람둥이든, 루카는 내게 서당이었고 그는 나의 훈장이었다. 나는 그 덕분에 비로소 마지막 남은 이별의 상처를 덜어낼 수 있었으니까.

"아저씨는 꼭 연애의 마스터 같으세요. 모르시는 게 없잖아요."

"남에게 조언해줄 때는 쉬운 법이지. 정말 좋아하는 사람을 만나면 다 소용없는 얘기야."

"그럼 아저씨도 힘들게 연애해본 적이 있으세요?"

"그걸 말이라고 해? 당연하지."

"죽고 싶을 만큼?"

"죽어서 흔적조차 남기고 싶지 않을 만큼."

"우와 설마…… 그럼 그걸 어떻게 견뎠어요?"

난 믿기지가 않았다. 이렇게 강하고 빈틈없어 보이는 사람도 그런 일을 겪었다는 게.

"너는 참 질문이 많구나." 담배를 사러 잠깐 밖에 나갔다 온 그가 그새 불어온 바람에 헝클어진 머리를 재빨리 수습하며 말했다.

"고통을 견디는 법은 한 가지밖에 없어. 그저 견디는 거야. 단, 지금 아무리 괴로워죽을 것 같아도 언젠가 이 모든 게 지나가고 다시 내 마음이 편안해지는 순간이 오리라는 믿음. 그거만 저버리지 않으면 돼. 어쩌면 그게 사랑보다 더 중요할지도 몰라."

그 말을 들은 나는 그만 아득해져버렸다.

"내가 그런 믿음을 가질 수 있을까요. 아저씨."

"믿어. 믿으면 아무도 널 어쩌지 못해."

나는 그가 고마웠다.

용휘가 나름 훌륭한 논쟁 상대라는 걸 알게 되면서, 제롬은 그가 여전히 자기 집을 공개하지 않는 것을 못마땅해하면서도 조금씩 그를 받아들여갔고, 나는 나대로 그를 붙잡고 하염없이 이야기를 쏟아냈다. 우리의 대화는 언제나 내가 질문을 하면 그가 대답을 해주는 형식으로 진행되었는데, 늘 유머가 넘치면서도 매사에 냉철하고 돌과 같이 단단한 그를 보며 나는 생각했다. 나는 그에게 이렇게 도움이라도 받는다지만, 이 사람은 도대체 무엇 때문에 나와 어울리고 이런 많은 말들을 해주는 걸까.

여름이 다가올 무렵, 나는 이제 그에게 당신 집에 가보고 싶다고 말할 때가 되었다고 생각했다. 이제는 우리가 두말할 것 없는 친구라고 느껴졌기 때문이다.

14. 해프닝

8월.

휴가를 받았지만 별로 갈 데도 없어 집에서 에어컨 바람이나 쐬며 뒹굴고 있었다. 종일 쐬는 냉기 탓에 골이 띵해 가끔 밖에 나가보면, 땅바닥은 물론 건물 벽에서까지 솟아오르는 열기로 온 동네 집들이 일그러져 보였다. 근데 이 동네는 어쩜 이렇게 조용할까. 이곳에서 산 지 팔개월이 넘어가는데 주택가에 그 흔한 야채 파는 리어카 한번 지나가는 걸 본 적이 없으니.

휴가 마지막날의 일이다. 저녁 아홉시쯤 누가 문을 두드리길래 욕실 창밖으로 고개만 빼든 채 힐끔 내다보니 키 작고 어깨는 넓고 팔다리가 비정상적으로 굵은 한 남자가 기장이 어중간한 베이지색 반코트를 걸친 채 엉거주춤 문 앞에 서 있었다.

뿔테안경 너머 동그란 눈동자를 불안하게 굴리며, 그는 나를 보더니 신문사에서 나왔다면서 잠깐 들어가도 되겠는지 물어왔다. 신문사? 보급소가 아니라 신문사? 나는 현관으로 나가 못 이기는 척 문을 열되,

일단은 문 앞에 세워두고는 무슨 일이냐는 표정으로 쳐다보았다. 약간은 위압적으로. 그랬더니 자기는 문예일보의 기자라면서 들어가서 말씀드리면 안 되겠냐고 사정을 하는 것이었다. 아, 역시 보급소는 아니었어. 나는 제롬이 없는 게 조금 걸리긴 했지만 그가 안으로 들어올 수 있도록 몸을 비켜주었다. 그는 뒤축이 심하게 해진 검은색 가죽구두를 벗고 집 안으로 들어왔다.

"기자분이 무슨 일로……?"

그러나 나는 그의 대답을 들을 수 없었다. 뜬금없이 냉장고에 붙어 있는 용휘와 워리가 함께 찍은 사진을 한동안 쳐다보던 기자가 뭔가 말하려는 순간, 누군가 찾아왔기 때문이다.

"용우 집에 있냐?"

희한했던 건, 그와 알고 지낸 팔 개월 동안 그가 이 시간에 이렇게 우리집에 찾아온 적이 단 한 번도 없다는 사실이었다. 이맘때쯤이면 그는 언제나 여기 아닌 다른 어딘가에 가 있었으니까. 더 이해할 수 없었던 건, 차나 마시자는 그를 내가 바쁘다며 그냥 돌려보냈고, 나중에라도 기자가 다녀갔다는 말을 하지 않음으로써 나는 그 기자와 공범 아닌 공범이 되고 말았다는 것이다. 내가 왜 그랬을까. 용휘가 돌아간 직후, 기자는 또 왜 그러는지 나만큼이나 놀라 도망치듯 집에서 나가버렸고, 마루엔 그가 남기고 간 하얀 명함 한 장만이 덩그러니 남아 있을 뿐이었다.

문예일보 문화부 차장 권순원.

그날 밤. 퇴근해 집으로 돌아온 제롬이 뭔가 냄새가 난다며 난리를 피우긴 했지만, 다행히 기자가 다시 찾아오지 않아 그 일은 점점 하나의 해프닝으로 받아들여지게 되었다.

"기자가 찾는 사람이 용휘가 아니었던 거지."

제롬이야 속으로 어떻게 생각했을지 몰라도 적어도 내 결론은 그랬다. 그 어리바리한 기자가 사람을 잘못 보고는 엉뚱한 사람을 좇아 우리집엘 온 걸 거라고.

15. 개 살해 사건

사실 그때 우리의 관심을 끄는 일은 따로 있었다.

그즈음 어느 일요일 아침, 제롬과 같이 밥을 먹으며 〈동물농장〉을 보고 있는데, 글쎄 개가 짖는다고 아파트 마당에다 쥐약을 풀고 도망간 미친놈이 있다는 게 아닌가.

"아니 무슨 저런 개자식이⋯⋯."

그것도 우리 동네와 아주 가까운 곳에서 벌어진 일이었다.

작은 소리에도 걸핏하면 남의 집에 달려가 항의를 해 '김반장'이란 별명을 가진 어떤 싸이코 같은 놈이, 개가 짖는다고 주민들하고 실랑이를 벌이다 급기야 쥐약을 풀어버리는 바람에 불쌍한 슈나우저가 죽고 퍼그가 죽고 하여튼 온 동네 개들이 수난을 당한 황당한 사연이었다.

이른바 청백아파트 개 살해 사건.

방송을 보던 우린 입안의 내용물이 모조리 튀어나올 정도로 분노했지만 사건은 이미 일 년 전에 벌어진 것이고 경찰도 달아난 용의자의 신원 파악조차 하지 못했다는데 우리가 뭘 어쩌겠는가. 화면에서는 주먹만한 치와와를 품에 꼭 끌어안은 어떤 아줌마가 울면서 인터뷰를 하고 있었고, 나는 피해자가 동물이다보니 분명 경찰이 적극적으로 수사를 하지 않은 거라며 분개했지만 그뿐. 시간이 지나면 늘 그렇듯 잊힐 일이었다. 세상 모든 화나는 일에 일일이 개입했다간 내 생활이 남아나지 않을 테니까. 물론, 그런 나와 달리 제롬은 끝내 현장을 기웃거리며 뭔가 해보려는 눈치였지만 녀석도 며칠 그러다 말 게 뻔했다.

일주일 뒤 9월의 어느 일요일 오후. '수사반장'의 가을 정기동문회가 있는 날이었다. 오랜만에 모인 선후배 동기들과 흑석동의 삼십 년 된 중국집 금문에서 왁자하게 술판을 벌이고 있는데 모철이란 놈이 슬그머니 우리 자리로 다가오더니 이렇게 속삭이는 것이었다.

"저번 주 〈동물농장〉 봤지."

모철이는 흥신소에서 일하는 '수사반장' 동기로, 학교 다닐 때 하도 날래고 정보가 빨라 별명이 모발발이었다. 녀석도 동물을 너무 좋아해 수사반장 시절 우리 셋은 개나 고양이의 실종 신고는 도맡아서 처리하던 동지들이기도 했다. 그런데 녀석이 말하길 티브이에서 나온 그 사건이 바로 자기네 아파트에서 벌어진 일이라는 것이었다.

"정말이야? 너 그 김반장이란 놈 봤어?"

우린 누가 먼저랄 것도 없이 흥분해서는 모철이에게 큰 소리로 물었는데, 녀석은 본 적은 없어도 몽타주는 갖고 있다며 공연히 바람을 잡더니 이내 심각한 얼굴로 우리에게 말했던 것이다.

지가, 달아난 김반장이 누군지를 안다면서.

16. 작은 눈

그러나

귀를 곤추세우고 녀석의 이야기에 몰두하던 우린 곧 큰 소리로 웃음을 터뜨려야 했다. 꼭 십 년 전 '수사반장' 시절처럼, 제롬과 나를 열띤 청중으로 둔 녀석은 자신의 주장을 입증하기 위한 황당하고도 기나긴 설레발을 날리더니, 기껏 몽타주랍시고 보여준 구겨진 종잇조가리엔 뜻밖에 안경만 씌운다면 용휘와 너무도 똑같이 생긴 남자가 주름진 얼굴로 웃고 있었기 때문이었다.

"푸하하하."

그날 밤. 일요일 술자리를 갖기 위해 집으로 들어서는 용휘를 보는 순간, 우린 또 얼마나 웃었던가.

결국, 그 뜨거운 여름을 달궜던 개 살해범 김반장도, 어느 날 해프닝처럼 찾아왔다 자취를 감춘 그 어리바리한 기자도, 어느 것 하나 특별한 일이 되어주지는 못한 채 그저 또하나의 추억으로 희미해져가면서 그해 여름은 그렇게 가고 있었다.

동문회가 있은 지 열흘쯤 지난 어느 목요일 밤. 몇 달을 끌던 제롬의 프로젝트가 끝나서 우리끼리 한잔 걸치기로 한 날이었다.

"차 가져가게?"

술을 마시자던 녀석이 대뜸 주차장으로 가길래 물었더니 녀석은 별 말도 없이 차에 올라 어디론가 가는 것이었다.

"어디 가게? 난 집 앞에서 간단하게 한잔하려고 그랬는데."

난 멀리 가면 용휘를 부를 수 없을 것 같아 그런 건데, 녀석은 그저 가보면 안다면서 묵묵히 시내로 차를 몰았다. 그때가 저녁 여덟시 반쯤 이었나? 말없이 운전만 하던 녀석이 입을 연 것은 차가 원남동에서 안 국역 쪽으로 급히 방향을 틀 때였다. 느닷없이 김반장을 보러 간다는 것이다.

"김반장? 그게 누구야?"

그래. 난 그게 누군지조차 잊고 있었다. 그런데 그런 사람을 보러 간 다고?

그때의 그 황당한 기억을 되살려보면 아직도 얼떨떨하다. 녀석이 날 데려간 곳은 엉뚱하게도 광화문 교보문고였다. 건물 일층 주차장 빈자 리에 차를 댄 녀석은 건물 뒤편을 빙 돌아 정문 입구 쪽으로 날 끌고 갔는데 거기엔 통유리 벽으로 된 서점 내부가 훤히 들여다보이는 나무 계단이 있었고 사람들이 군데군데 앉아서 책을 읽거나 데이트를 하거 나 음악을 듣고 있었다. 녀석은 마치 영화 상영중에 자릴 찾아들어가는 사람처럼 몸을 숙인 채 계단 중간쯤으로 나를 데려가 어떤 등이 넓은 사람 뒤에 앉았고, 그게 일의 시작이었다.

잠시 후, 한껏 웅크린 채 서점 내부를 주시하던 제롬이 가리키는 방향을 쳐다보니 회전문이 있는 서점 정면 안쪽으로 얼핏 베스트셀러 순위판 같은 게 보였다. 그 앞에는 한 무더기의 사람들이 순위판을 바라보거나 책을 집어들며 서성이고 있었다. 한데 그 틈에 서 있던 한 남자가 다른 곳으로 가려는지 들고 있던 책을 서가에 올려놓고는 통로가 있는 가운데 쪽으로 걸어나오는데, 글쎄 어디서 많이 본 사람이 아닌가.

"어, 저거 용휘 아냐?"

순간 나는 반가워 소리쳤으나 제롬이 그런 나의 입을 급히 틀어막는 바람에 남자는, 아니 용휘는 우리를 보지 못한 채 그대로 서점 안쪽으로 쌩하니 들어가버렸다. 이 모든 요상한 일들이 순식간에 지나가고 나서 정신을 차려보니 우리집에 왔던 그 키 작고 목 굵고 어깨 넓은 기자가 바로 내 앞자리에서 몸을 돌려 안경 너머 그 작은 눈으로 나를 빤히 쳐다보고 있었던 것이다.

17. 두번째 만남

"잠깐만, 잠깐만요."

광화문 세종문화회관 옆 스타벅스 삼층.

나는 손을 내저으며 쉴 틈 없이 다음 말을 쏟아내려는 그를 막았다.

"그 사람이 소설가라고요? 내가 아는데 그분 작가 아니에요. 책도 잘 못 읽는다고요."

순간 그의 얼굴이 구겨진 휴지조각처럼 일그러졌다.

"바로 그게 증겁니다."

"증거라뇨. 그게 무슨⋯⋯."

"원래 책을 읽지 못하는 걸로 유명해요."

'도대체 이게 뭔 말이야. 작가가 책을 못 읽는다니.'

얼떨결에 따라오긴 했지만 난 이해할 수가 없었다. 왜 이 사람만 있으면 우리가 용휘 앞에서 이렇게 죄지은 사람처럼 숨고 피해야 하는 건지. 나는 도대체 이게 무슨 일이냐고 제롬을 쳐다보았지만 녀석은 녀석 대로 지 계산을 맞추느라 정신이 없는 눈치였다.

"어, 전…… 기자님이 무슨 말씀을 하시는 건지 도무지……." 내가 이해가 가지 않아 중얼거리자 그는 고개를 돌려 이순신 장군 동상이 서 있는 창문 바깥을 한번 쓱 내다보더니 말했다.

"놀라시는 것도 무리는 아닐 겁니다. 두 분은 가까운 사이라고 하셨죠?"

"아, 네, 뭐, 그냥 조금……."

"그럼 매일 밤 그분이 어딜 가는지 아시겠네요?"

"아, 그건……." 내가 답을 못하고 머뭇거리자 그는 짧고 굵은 팔을 쭉 펴더니 건너편 교보빌딩 쪽을 가리키며 말했다.

"서점입니다. 방금 보셨듯이."

"서점이요?"

"네. 밤만 되면 차를 타고 저녁 예배 보러 가는 아줌마처럼 책방으로 달려가죠. 가서 뭘 할까요. 책을 삽니다. 아줌마가 장을 보듯 닥치는 대로 책을 사죠. 어떤 날은 아예 트럭에 넣어가야 할 정도로 살 때도 있고요." 그는 숨도 쉬지 않고 속사포처럼 말했다. "조금 이상하지 않나요? 읽지도 않는다는 책을 그렇게 사댄다는 게?"

"아뇨. 많이 이상한데요."

그래. 내겐 모든 게 이상했다. 이 기자도, 기자가 하는 얘기도, 여기서 이러고 앉아 있는 우리도.

18. 2인조

모든 것이 부조화스런 인물이었다.

기자라기엔 뭔가 어수룩한 너스레. 네모나고 억센 턱 위에 얹혀진 올
망졸망한 눈코입은 부정적인 의미에서의 동안으로 보였고, 옷차림은 묘
하게 복고적이어서 어딘가 모르게 촌스러웠지만 자기 고집은 있는 스타
일⋯⋯. 그러나 지금 중요한 건 이런 게 아니다.

"저는 기잡니다." 그가 말했다. "문학 담당기자죠. 저 같은 문학 기자
에게 그 정도 되는 인물을 인터뷰한다는 건 일종의 특종이라고 할 수
있어요. 워낙 신분을 철저히 감추고 사는 분이니까요. 한데⋯⋯" 큰 소
리로 열변을 토하던 그가 갑자기 목소리를 낮추며 은밀히 속삭였다.
"단순 취재하기엔 문제가 좀 있는 분이라⋯⋯." 그러면서 공연히 헛기침
을 하며 우리의 반응을 살피는 것이었다. 마치 우리가 용휘와 어느 정
도 친분이 있는지 몰라 경계라도 하는 듯이. 기자가 말을 이었다.

"흠⋯⋯ 어떻게 설명드려야 이해가 빠르실까. 아, 이러면 어떨까요.

글을 쓰는 작가가 온갖 짓으로 이목을 끌어서 책의 홍보에 이용하고, 한 권으로 내도 될 책을 두 권으로 쪼개 파는 등 도를 넘는 상술에, 책을 낼 때마다 표절 시비가 따라다닌다면요?"

"그분이 그렇다는 겁니까?" 드디어, 제롬이 처음으로 입을 열며 관심을 보이자 막상 기자는 짐짓 여유를 부리며 한발 물러선다.

"아, 물론 소문도 있고 사실도 있겠지요. 그래서 취재를 하는 것이고. 핫핫. 원래 소문이란 게 숨어 지낼수록 부풀려지는 법 아니겠습니까?"

그가 한없이 느끼한 표정으로 마치 승기라도 잡은 장수처럼 환하게 웃는 모습을 보며, 나는 이 둘의 이 병신 같은 대화를 더이상 들어줄 마음이 없어졌지만 제롬의 표정이 너무 진지해 일어날 수가 없었다.

"아니, 그래서…… 찾으시는 분이 그 은둔 작가라는……"

마침내, 녀석이 더는 못 참겠다는 듯 의혹과 호기심이 폭발할 듯한 얼굴로 묻자 기자는 녀석이 채 질문을 끝내기도 전에 바로 그렇다는 듯, 아니 자기뿐만 아니라 마치 모두가 찾고 있는 사람이 이 사람이라는 듯, 참으로 비장한 어조로 대답을 하는 것이었다.

"맞습니다. 그 방세옥. 적어도 현재 시점 대한민국에서 가장 많은 책을 파는 소설가이자 동화 작가. 데뷔 이후 사 년간 아무도 얼굴을 본 적 없는 은둔의 괴물. 음…… 아직 확신하긴 이르지만 지금까지 파악한 정황으로 봐서는 그가 방세옥일 확률이 90% 이상……"

"하하하."

난 도저히 더는 참지 못하고 그만 웃음을 터뜨리고 말았다. 용휘가 무슨 뭐 누구라고? 정말이지 이건 내가 올해 들은 말 중 가장 어이없고 웃긴 얘기가 아닌가. 그는 내가 갑자기 미친놈처럼 웃어대자 영문을 모르겠다는 얼굴이 되었고, 제롬은 불쾌감에 얼굴을 구겼지만 나오는 웃음을 어쩌랴.

"아, 죄송해요. 그렇게 아이들을 싫어하는 사람이 동화를 쓴다는 게 너무 웃겨서 그만."

"그래요?" 나를 빤히 보던 기자의 얼굴에 야릇한 미소가 번지더니 그는 곧 표정을 고치며 이렇게 말했다.

"그럴 수 있습니다. 충분히 그럴 수 있어요. 책만 팔아먹을 수만 있다면 그거보다 더한 일도 할 수 있는 사람이니까."

"네?"

나는 기자가 하는 말의 사실 여부를 떠나, 말을 하면 할수록 숨기지 못하는 그의 이 알 수 없는 적의가 이상하다고 생각했다. 아무리 그래도 그는 기자지 수사관은 아니지 않은가. 그런데 그때, 가만히 듣고 있던 제롬이 마치 이제야 용휘의 구린 구석을 잡아냈다는 듯 흥분하기 시작했다.

"책을 못 읽는다니. 그럼 학교 다닐 때 국어책도 안 읽었대요? 전공서적은 엿 바꿔 먹었나?"

"아, 그런 얘기가 아니라." 기자 역시 자신의 말에 반응하는 존재의 등장이 반가웠는지 반색하며 말이 더 빨라졌다.

"소설이나 시 같은 문학작품을 못 읽는다는 거죠. 신문, 교과서 이런 거 말고."

"그래도 그렇지 소설가가 소설을 안 읽고 어떻게⋯⋯."

"저도 믿기진 않지만, 본인 주장이 그러니 어떡하겠습니까."

어쩐지 삐딱한 말투. 두 사람은 죽이 잘 맞는 2인조 형사팀 같았다. 기자가 결연한 어조로 말을 맺었다.

"어차피 등단도 하지 않은 사람이기 때문에 처음에는 일고의 가치도 없는 주장으로 치부해 외면해왔습니다만, 해가 갈수록 커져가는 영향력을 두고 볼 수만은 없어 이렇게 나서게 된 겁니다. 기자 이전에 한 문학인으로서."

그러니까 결국, 이 한심한 소동의 요점은 이 기자는 지금 특종을 위해 숨어 지내는 유명 은둔 작가를 쫓는 중인데, 그 소설가의 뒤가 하도 구려 일종의 고발성 취재를 하는 중이고, 제롬은 쥐약을 풀어 개를 죽이고 도망간 싸이코 같은 놈을 쫓고 있는데, 알고 보니 그 두 사람이 아니 모철이 새끼까지 더하면 – 모철이도 김반장이 바로 이 방세옥이란 소설가라고 주장해 나의 빈축을 샀었다 – 세 사람이 쫓는 인물이 모두 동일 인물이고 그게 바로 용휘란 얘기가 아닌가?

"죄송한데 저는 그만 일어나보겠습니다."

"왜 그러시죠?"

기자는 내가 갑자기 자리에서 일어서자 당황한 듯했다.

"야, 왜 그래. 일단 앉아봐."

제롬도 말렸지만 그건 무시했다. 나는 선 채로 그 둘을 내려다보며 말했다.

"자꾸 서점을 간다, 뭘 어쩐다 그러시는데, 그런 식이라면 저도 그 사람이 작가라는 직업과 얼마나 어울리지 않는 사람인지 한 시간은 얘기할 수 있어요. 그가 방세옥일 확률이 90%라고 하셨죠? 저는 98%의 확률로 그 사람이 왜 방세옥이 아닌지 얘기할 수 있다구요." 그러고는 곧바로 자리를 벗어나 계단을 향해 돌아서는 나를 불러 세우며 소리쳤다.

"그렇게 그분을 잘 아신다면……" 막 계단에 첫발을 내딛기 직전이었다. "그 집에 가보신 적은 있나요?"

나는 그를 돌아보았다. 꼭 용휘가 그러는 것처럼. 그러나 대답을 할 수는 없었다.

"그럼 그 집 일층과 이층에 누가 사는지는 아십니까?"

이번에도 내가 답을 하지 못하자, 그의 얼굴에 비웃음이 피었다.

"잘 아는 사이라면서 모르시는 게 많네요."

"그런 건 모르지만 내가 아는 그 사람은……"

"잘 들으세요." 그는 돌연 내게 살기 넘치는 눈을 부라리며 마치 이곳이 우리집이고 건너편이 용휘네 집이라도 되는 양 창문 바깥쪽을 손으로 가리키며 소리쳤다.

"저 건물엔 오직 한 사람 김용휘밖엔 살지 않아요. 왜? 책 놓을 공간조차 부족하니까. 저 삼층짜리 건물 전체에 무려 수만 권의 책이 쌓여 있다고요."

나는 이 사람의 입에서 기어이 용휘라는 두 글자를 듣는 순간, 접촉
사고가 났을 때나 느껴지는 아득한 기분이 들었다.

"그런데 책을 안 읽는다고요? 천만에요. 아마 그 집에 발만 들여놔도
활자가 온몸으로 스며들걸요."

난 더이상 대꾸를 하지 않은 채 그곳을 빠져나와 혼자서 도망치듯 택
시를 타고 집으로 돌아가버렸다. 이 모든 게, 도무지 말도 안 되는 일이
라고 생각하면서.

19. 혼란

솔직히 난 그 기자보다 제롬이 더 이상했다.

이제 우리 나이도 서른두 살. 이십대 때처럼 아무거나 붙들고 탐정 놀이 할 때는 지났으니까. 더구나 그 대상이 용휘라는 사실이 나는 더욱 놀랍고 이해가 가지 않았다. 혹시 녀석이 용휘에 대해 뭔가 나쁜 감정이 있는 건 아닐까? 충분히 그럴 수 있다. 녀석에겐 내가 거의 유일한 친구고 나와 같이 있어주기 위해 일부러 먼 곳에서 날아왔는데, 정작 내 옆에는 용휘라는 새로운 존재가 나타나 있었으니. 아, 하지만 감정을 앞세워 행동하는 걸 누구보다 싫어하는 놈인데…….

내가 집에 온 뒤로 그 기자와 한 시간이나 더 있다 온 녀석은 용휘의 정체를 두고 나와 밤새 입씨름을 벌였고, 아무리 해도 결론이 나지 않자 그럼 일요일에 용휘한테 직접 물어보면 될 것이 아니냐고 따져 물었다. 당신이 진짜 책을 백만 권씩이나 파는 그렇게 유명한 소설가였더냐, 우리가 지금까지 거의 일 년이 다 돼가는 시간 동안 매주 일요일마다 꼬박 만나서 술 마시고 얘기하고 놀던 당신이, 우리가 기르는 개를 그렇

게 예뻐하던 당신이 정말 시끄럽다고 개나 죽이는 그런 사람이었더냐,
책이라곤 생전 손에 들지도 않고 맨날 술집에서 여자 꼬신 무용담이나
늘어놓고, 욕은 또 그렇게 잘하는 사람이 갑자기 소설가라고, 그것도
그렇게 잘나가는 소설가라는데 이게 사실이냐. 녀석이 내게 들이민 그
빌어먹을 몽타주 쪼가릴 도로 녀석의 얼굴에다 디밀며 소리를 버럭 지
르곤 문을 쾅 닫고 내 방으로 들어가버렸는데, 그러나 굳이 일요일까지
기다릴 필요가 없었던 것이다.

　그러고 들어간 지 채 십 분도 되지 않아 너무도 간단히 사실을 알아
버렸기 때문에.

　정말, 허탈할 정도로 간단하게.

　다음날. 종일 건성으로 근무를 하다 일찍 퇴근을 하고는 회사 근처
에 있는 강남 교보문고엘 갔다. 지하 삼층 주차장에 차를 대고 엘리베
이터를 타고 올라가 서점이 있는 지하 일층에 내리니 마침 바로 옆에
커다랗게 배너광고판이 서 있었다.

　밀리언셀러 작가 방세옥의 신작 동화 『사시나무』 9월 12일 발간.
　예약판매중.

　종종 서점엘 가면서도 통 관심이 없어서 몰랐는데 이 정도일 줄이야.
소설 쪽을 가봐도, 동화책 코너에도, 그의 책은 항상 가장 잘 보이는

곳에 가장 많이 진열이 되어 있었다. 그 밖에도 '북마스터 추천도서'니, '휴가 때 가져갈 책 베스트 5'니 하면서 갖은 구실로 서점 곳곳에 책이 깔려 있었고, 지하로 내려가는 계단 옆 베스트셀러 코너에는 그의 작품이 무려 세 권 다 소설 부문 10위 안에 들어 있었다. 지나가던 여직원을 붙잡고 출간된 지 몇 년 된 책들이 어떻게 여태 베스트셀러에 올라 있는지 물어보니 이번에 나오는 동화 때문에 전작들도 다시 바람을 타고 있다고 설명해주었다.

'동화 한 편 나오는데 이 정도라니……'

나는 그 자리에서 집히는 대로 그의 책 한 권을 뽑아들었다. 손으로는 페이지를 넘기면서도 머릿속에서는 어제의 일이 떠올랐다.

녀석과의 기나긴 설전을 끝내고 방에 들어가 침대에 그대로 쓰러졌던 새벽. 난 아무래도 잠이 오지 않아 곧 다시 벌떡 일어났다. 그러곤 혹시나 하는 마음에 컴퓨터를 켜고 인터넷에 들어가 네이버에서 방세옥을 쳐보았다. 그랬더니 손으로 턱을 괴고 있는 어떤 남자의 사진이 얼굴 대신 올라 있었다.

방세옥. 소설가. 동화 작가. 1969년생으로 추정.

낯설었다. 나는 그가 썼다는 책들을 차례로 클릭해보았다.

"책만 팔아먹을 수만 있다면 무슨 일이든 하는 사람이니까요."

정말로, 이 사람은 건드리지 않는 장르가 없는 것 같았다. 여성 취향의 가벼운 연애물에서부터 거의 고어에 가까운 잔인하기 짝이 없는 성인용 소설에, 갑자기 초등학교 저학년용 그림동화가 있질 않나, 거기에 유행에 편승한 온갖 종류의 힐링에세이까지……. 그러다 어느 인터넷 서점에 들어가 그중 그림동화 한 권을 열어본 순간, 기자가 말한 사람이 결코 용휘가 아닐 거라던 나의 믿음은 여지없이 깨지고 말았다. 거기에는 용휘가 늘 그리던 것과 똑같은 그림들이 있었기 때문이다. 식탁 밑에서 곤히 잠들어 있는 워리와 창밖을 내다보던 내 옆모습이라면서 건네주던, 용휘 특유의 어딘가 모르게 건조하면서도 온기가 있는 그림들……. 나는 내 방 책상 위에 덜렁거리며 붙어 있는 용휘의 그림과 컴퓨터 화면을 통해 그가 썼다는 동화책들을 번갈아 보며 말로 표현할 수 없는 기분에 사로잡혔다. 과연 이것이, 정말로 애들이 떠든다고 막무가내로 화를 내던 사람이 쓴 글이란 말인가?

그때, 방문을 열고 불쑥 제롬이 들어왔다. 필시 녀석도 방금 나와 똑같은 확인의 절차를 거쳤을 것이었다.

"어떻게 생각해?"

녀석은 애써 자기를 외면하며 마우스를 굴리고 있는 내 뒤에 오더니 먼저 입을 열었다. 나는 마지못해 돌아보며 대꾸했다.

"좋아. 용휘가 방세옥이라고 쳐. 근데 그게 뭐. 우리랑은 상관없는 거잖아. 그 사람이 무슨 죄를 지은 것도 아니고. 안 그래?"

그러자 녀석은 기가 차다는 표정으로 내 말이 끝나기 무섭게 되물었다.

"야, 너는 얼마 전에 니가 한 말도 잊었어? 니 입으로 절대로 용서 못한다던 개를 죽인 범인이 용휘일 수도 있는데 그게 상관이 없다는 거야?"

녀석의 말에 나는 더는 대꾸하지 못하고 머리를 있는 대로 쥐어뜯었다. 애써 상관없다 하면서도 내내 나를 괴롭히던 찜찜함의 정체를 그제서야 알았기 때문이다.

"손님, 잠깐만 비켜주시겠어요."

내가 읽지도 않는 책을 손에 든 채 너무 오래 생각에 잠겨 있었나보다. 나는 어젯밤에 벌어진 그 모든 일들이 꿈이었길 바라며, 들고 있던 책과 함께 용휘의, 아니 방세옥의 책 몇 권을 산 후 지하 주차장으로 내려가 차를 몰고 집으로 돌아갔다.

20. 방세옥

정말이지 그 일만 아니라면,

그가 누구든 우리가 상관할 바는 아니었다. 그렇지 않은가? 제롬이 조금 과민하게 반응하긴 했지만 따지고 보면 은둔 작가가 은둔을 했다고 생각하면 그뿐이었다. 그 빌어먹을 베스트셀러 소설가가 한 권짜리 책을 세 권으로 쪼개 팔든, 애들을 상대로 코 묻은 돈을 강탈하든, 우린 우리가 보고 들은 것만으로 사람을 판단하면 될 일이었으니까. 그런데…… 그것 하나만은 정말 도저히 모른 척 넘어갈 수가 없었다.

인터넷을 이잡듯 뒤지던 제롬은 그것만으론 성에 차지 않았던지 파주 어느 출판사에서 일하는 은석이란 동기 놈까지 불러내 방세옥에 대해 캐물었다. 한참을 이것저것 묻던 녀석이 모철이네 동네에서 있었던 개 살해 사건 얘길 해주자 은석인 아주 단정적인 톤으로 이렇게 말했다.

"몰랐어? 그거 방세옥 짓이야. 이 바닥 사람들은 다 아는 얘긴데 뭐."

토요일이었나? 주말 아침부터 둘이 학림에서 만난다길래 쫓아나갔다가 들은 은석이의 얘기들은 그야말로 충격의 연속이었다.

"그 사람 자기 책 띄우려고 서점에 불까지 지른 사람이다. 왜? 책 속에 있는 일이 실제로 벌어졌다고 선전하려고. 근데, 그런 사람이 글 쓰는데 개가 짖는다? 그래서 방해를 받는다? 쥐약이 아니라 따발총으로 개를 쏴버렸을지도 모른단 생각 안 드냐?"

나는 그 말이 너무 충격적이어서, 은석이가 방세옥에 관해 해준 다른 말들은 도통 귀에 들어오지도 않았다. 베스트셀러 작가라는 세간의 명성과 달리 업계에서는 그의 별명이 '책장사꾼'일 정도로 이미지가 좋지 않다는 것, 높은 판매고에도 불구하고 등단을 하지 않아 문단에서 노골적인 무시를 당하고 있다는 것, 또 단 한 번의 실수에도 오래 같이 일한 에디터들을 그 즉시 잘라버린다거나, 무슨 소설이 낼 때마다 문체가 달라져 늘상 표절설에 시달리고, 상술에는 또 어찌나 능한지 책 쪼개 팔기의 달인인데다가, 돈이 될 만한 책은 어떤 장르든 가리지 않고 써재끼고, 책을 안 읽는다는 그 얘기도 업계에서는 '새빨간 구라'일 뿐이며 단지 이미지 마케팅의 일환으로 치부되고 있다는 것, 그럼에도 일반 독자들은 그를 괴짜 천재쯤으로 여기는 덕분에 밀리언셀러 작가 행세를 하고 있다는 사실까지……. 아무튼 무슨 놈의 글을 쓴다는 사람이 이렇게도 평판이 구질구질한지, 이미 이런 얘기들만 가지고도 한참이나 실망을 하고도 남을 판에 그 모든 소문과 평판을 뛰어넘는, 결코 용서될 수 없는 짓을 그가 했다는 게 난 정말이지 믿기지 않았던 것이다.

용휘가 개 살해범이라니…….

내 친구 용휘가…….

며칠 뒤, 나는 퇴근길에 루카엘 들렀다. 하필이면 최근 우리는, 용휘
가 바빠진 관계로(아마 출간 준비 때문이었을 것이다) 기자와 다시 만나기
얼마 전부터 한동안 모임이 없었고 내가 루카에도 가지 않아 서로 얼굴
본 지가 오래된 참이었다. 루카에는 벌써 누군가 와 있는 것 같았다.
용휘일까? 나는 나도 모르게 루카에서 조금 떨어진 단독주택의 계단
위로 올라가 벽에 몸을 가린 채 가게 안쪽을 훔쳐보았다. 그는 노트에
다 뭔가를 끄적이다 쌍둥이들과 얘기를 하면서 낄낄거리기도 하고 이
상황을 아는지 모르는지 평소와 다름없는 모습이었다. 저 노트에 그동
안 끄적이던 게 소설이었다니……. 슬펐던 건 내 발걸음이 루카로 선뜻
들어가지질 않았다는 것이다. 무엇이 나를 잡은 걸까. 그가 거짓말을
해서? 아님 나와는 다른 사람이라는 걸 알게 돼서?

난 솔직히 용휘가 먼저 이야기를 해줬으면 좋겠다고 생각했다. 아니
면 이깟 일들 아무것도 아닌 걸로 생각하고 그냥 지금 저 안으로 들어
가 내가 먼저 얘기를 해버리거나. 하지만 내 성격이 그렇게 간단했으면
여자 때문에 일 년 동안이나 집에 처박혀 있지도 않았을 것이다. 나는
이대로 계속 서 있다간 용휘가 나를 볼지도 모른다는 생각에 쫓기듯
집으로 발길을 돌렸다.

21. 음모

"난 처음부터

용휘한테 뭔가 당당하지 못한 비밀이 있다고 생각했어. 내가 그랬지.
인간관계는 기브 앤 테이크라고. 적어도 어느 정도는. 근데 우린 뭐야.
항상 모임도 우리집에서만 했어. 집이 다른 먼 데 있는 것도 아니고 바
로 코앞에 있으면서 자기 집엔 한 번도 부르지 않았지. 작가라는 걸 밝
히지 않은 것만 가지고 이러는 게 아니야. 그 사람 자기에 대해 오픈한
게 아무것도 없어. 용우 너, 용휘에 대해 뭘 아냐. 친구, 부모, 뭐 하나
아는 게 있어? 맨날 우리만 신나서 얘길 하지 용휘는 항상 핵심을 빗겨
갔잖아. 그 사람 자기 직업뿐만 아니라 아예 자기 자신까지 숨긴 거라
고. 왜? 어째서? 난 분명 거기에 뭔가 떳떳하지 못한 사정이 있다고 생
각해."

광화문에서 그 기자를 만난 이후로, 우린 밤마다 용휘 문제로 다투
는 게 일이 되어버렸다. 나는 아직 본인 얘기를 들어보지 않았다며 어

떻게든 용휘를 변호하려 애썼지만, 제롬에게 이제 용휘는 거짓말쟁이에, 개 살해범에다, 온갖 부도덕한 짓을 일삼는, 녀석이 참을 수 없어 하는 3종세트의 주인공일 뿐이기 때문이었다.

모임이 열리지 않은 지도 벌써 한 달.

갈등하고 있는 건 우리뿐이었지만, 눈치가 귀신같은 사람이므로 분명 그도 왕래가 뜸해진 것에 대해 어떤 식으로든 해석을 하고 있을 것이다. 시간은 그냥저냥 흘렀고, 그 와중에 나는 짧은 연애를 했다.

그건 아주 이상한 연애였다. 누군가를 사귀긴 사귀었는데 우린 자주 만나지도 않았고 매일 밤 잠들기 전에 굿나잇 전화조차 하지 않았다. 시도 때도 없이 안부를 전하거나 상대방이 뭘 하고 있는지 묻는 일도 하지 않았다. 모두 내가 원해서였다. 나는 나와 사귀는 사람이 언제 어디서 잠드는지 누구와 뭘 하며 있는지 더이상 알고 싶지 않았다. 그녀는 상대의 연애 패턴이 원래 이런 것이려니 하며 적응하려 애썼지만 마음고생을 피할 수 없었고, 연애할 때 누구나 하는 일들을 하지 않는 대가로 나는 마음의 평화를 얻었다.

'그래. 이런 게 진짜 연애야.'

하지만 그녀는 자신의 새 남자친구가 어째서 그렇게 자주 혼자 있고 싶어하는지, 친구들은 왜 소개시켜주지 않는지 이해하지 못했고, 나의 자유는 고스란히 그녀의 상처가 되었다.

"나는 퇴근할 때 나 지금 집에 들어간다고 전화할 수 있는 사람이 필요해."

그녀의 마지막 요구는 정당했지만 나는 매일 저녁 그걸 받아줄 마음이 없었기에 결국 우린 두 달도 못 돼서 헤어지고 말았다. 뭐가 잘못된 걸까. 내가 알 수 있는 건 지난 일 년 반 동안 내가 혼자 살아가는 데 익숙해지기 위해 무던히도 노력을 했다는 것뿐이다. 더이상 누군가의 연락을 목매어 기다리지도 않고, 혼자서 쇼핑하고, 밥 먹고, 극장에 가도 아무렇지 않은 사람이 될 수 있도록. 나는 이제 내가 바라던 그런 사람이 된 걸까? 그래서 더는 누군가와 서로의 인생을 포개는 일 같은 건 할 수 없게 된 걸까? 나는 변해버린 내가 조금은 서글펐고 다른 누구보다 용휘에게 이 불행하고 편안했던 연애에 대해 털어놓고 싶어졌다.

'아저씨, 저 제대로 가고 있는 거 맞아요?'

늦더위가 여전히 기승을 부리던 10월 어느 날. 방세옥의 새 동화가 출간되었다. 상업 작가로서 그의 위상은 대단한 것이어서, 고작 동화 한 편 나왔을 뿐인데도 각종 일간지 문화면이 한동안 그의 차지였다.

책을 읽지 않는 작가의 거침없는 고공 행진, 언제까지 이어질 수 있을까.

기사의 제목은 이처럼 자극적이었지만 논조는 대체로 호의적이었다. 사진은 손이나 신발 등 특정 신체 부위를 찍은 것이 실리거나 책의 표지로 대체되었으며 사인회, 독자와의 만남처럼 사람을 직접 만나야 하는 행사는 일체 없었다. 인터넷에는 빠르게 평점이 올라오기 시작했다. 대체로 별 네 개 이상의 좋은 점수들이었다. 동화답지 않은 충격적 미스터리, 만화보다 재미있는 동화 등등 좋은 말은 다 달고 다니면서 어린 독자와 부모 모두를 사로잡았다.

어느 일요일, 나는 소파에 누워 용휘의 책이 판매순위 1위에 올랐다는 신문기사를 보면서, 이제 그에게 연락할 때가 되었다고 생각했다. 지금은 막 책이 나와 경황이 없을 테니 조금만 더 기다렸다가······.

바로 그 무렵이었다. 회사에 있는데 제롬한테서 빨리 인터넷에 들어가보라며 다급한 전화가 걸려왔다. 나는 대수롭지 않게 여기며 컴퓨터 모니터에 익스플로러를 띄웠다. 그런데,

아이들에게 폭력을 가하는 동화 작가 방세옥.

깜짝 놀라 기사를 클릭하니 '어린아이를 때리는 인기 동화 작가의 본모습'이라는 설명과 함께 용휘로 추정되는 어떤 남자가 한쪽 팔을 치켜든 채 마치 아이에게 손을 대는 듯한 모습이 측면에서 찍혀 있었다. 그건 우리 동네에서 늘상 벌어지는 익숙한 풍경이었지만, 모르는 사람이 보면 오해를 할 수도 있을 만큼 각도를 교묘히 잡아 촬영된 것이었다. 나는 스크롤바를 아래로 내려 기사의 작성자를 확인해보았다.

문예일보 문화부 권순원.

　나는 이 기자의 처사에 분노하지 않을 수 없었다. 이건 필시 내가 해준 얘기를 듣고 힌트를 얻어 일부러 포착한 사진임에 틀림없었기 때문이다. 기사가 오른 뒤, 사람들은 얼굴도 제대로 나오지 않은 사진 속 주인공을 향해 온갖 비난을 퍼부었고, 새로 나온 책의 판매고는 그길로 곤두박질을 쳤다. 나는 즉시 용휘에게 연락하고 싶었지만 자신의 뒤를 밟는 기자와 만나기까지 해놓고 알리지 않은 것을 어떻게 설명해야 할지 몰라 망설였다.

　'애초에 말했어야 했는데…….'

　도통 일이 손에 잡히지 않았다. 많은 사람들이 용휘보고 거짓말쟁이라 하고 아이들을 사랑하지도 않으면서 쓴 동화는 거짓이라고도 하였다. 용휘는 이럴 때 도와줄 친구들이 있을까? 그가 말해주지 않았으므로 나는 그의 인간관계에 대해서는 전혀 알지 못한다. 하지만 만약, 그가 지금 혼자서 이 상황과 마주하고 있다면…….

　"믿어. 믿으면 누구도 널 어쩌지 못해."

　언젠가 용휘가 내게 해준 말이다. 나는 용휘를 믿는가. 내가 말할 수 있는 건 그는 절대로 아이를 때릴 사람이 아니라는 것뿐이다. 휴대폰을 꺼내 용휘에게 전화를 걸었다. 거의 두 달 반 만이었지만, 휴대폰은 꺼져 있었다.

그날 저녁. 퇴근을 해 집으로 돌아와보니 뜻밖에 제롬이 일찍 들어와 있었다.

"어쩐 일이야. 이 시간에."

"용휘 때문에."

"용휘 뭐. 넌 고소하겠네."

한동안 좋은 분위기를 유지하던 우리는 용휘 때문에 다시 위태로운 지경에 처하게 됐다. 식탁에 앉아 혼자서 맥주를 홀짝이던 녀석이 어쩐지 항변조로 말했다.

"그런 식으로 말하지 마. 내가 이유 없이 그런 게 아니라는 거 너도 알잖아."

"글쎄." 나는 별로 인정하고 싶지 않았다.

"어쨌든 지금 상황은 내가 용납할 수 없는 방향으로 가고 있어. 사회 전체가 한 사람을 매도하고 있다고. 소문? 그딴 건 어찌됐든 상관없어. 난 이제 용휘를 좀 만나야겠어. 그래서 왜 그렇게 많은 걸 숨겼는지, 진짜 그렇게 나쁜 짓을 했는지 좀 물어봐야겠어."

"진작 좀 그러지 그랬냐." 나는 힘없이 소파에 앉으며 녀석에게 원망 섞인 어조로 말했다.

"분명히 말하지만 나는 그의 편을 들자는 게 아니야. 하지만 그가 진실을 말하고 있다면, 그래서 이유 없이 매도당하고 있다면, 난 모든 걸

걸고 용휘를 돕겠어."

　나는 녀석과 함께 루카로 갔다. 상황이 이 지경이 되었어도 집으로 찾아가는 건 감히 생각할 수 없는 일이었기에. 그러나 그는 루카에 없었고 다행인지 불행인지 밤이 되어도 집에 불이 켜지지 않았다. 용휘는 어디로 가버린 걸까. 휴대폰에 내 번호가 찍혀 있는 걸 분명 봤을 텐데. 그날 밤, 권순원 기자에게 항의 전화를 걸었으나 그 역시 전화를 받지 않았다.

22. 재회

— 찰리 파커 5중주입니다.

피아노에 찰스 톰슨 경, 트럼펫에 허브 포메로이, 베이스에 지미 우드, 드럼에 케니 클라크, 그리고 알토 색소폰에…… 찰리 파커입니다.

비가 억수같이 내리는 날이었다. 회사 일을 마치고 집으로 돌아오는 길. 퍼부어대는 빗줄기로 시야가 거의 가려져 목을 앞으로 쭉 뻗은 채 우스꽝스러운 모양으로 운전대를 잡고 있었다. 라디오에서는 찰리 파커의 특집 방송을 하고 있었다. 비가 조금 잦아들 무렵, 집 근처 지하철역 사거리에서 신호 대기에 걸려 서 있을 때였다. 옆 건물 주차장에서 뭔가 아른거려 창문을 내려보니, 알통이 불룩한 어떤 남자가 팔짱을 낀 채 비가 뚝뚝 떨어지는 거리를 바라보고 있었다.

용휘였다.

꽉 다문 입술, 누구든 자신의 조소를 피해갈 순 없을 거라는 듯한 자신감 넘치는 미소. 저런 것들이 나를 얼마나 사로잡았던가. 나는 반갑고 애틋한 마음에 그쪽으로 핸들을 틀었다. 그런데 아차, 다른 사람이었다. 하긴, 용휘가 이런 곳에 있을 리가……. 허탈한 심정으로 도로 차를 빼자, 뒤쪽에서 따라오던 차가 신경질적으로 빵빵거리며 클랙슨을 울려댄다.

아…… 차라리 그의 정체를 계속 몰랐더라면 좋았을 것을……. 어느 날 갑자기 드러나버린 그의 구린 면면에 제롬은 그럼에도 내가 그를 두둔한다며 얼마나 비난했던가.

나도 알고 있다. 누구든 용휘에 대해 의심을 하거나 그에 대해 부정적인 얘기를 하는 순간, 내 이성이 중단되고 마음이 닫혀버린다는 걸. 하지만 어쩔 수 없는 일이다. 내가 상처투성이로 이 낯선 동네에 처음 이사 왔을 때, 먼저 손 내밀어주었던 게 누구였던가. 그토록 병신 같았던 내 모습을 남들도 다 그런다며 위로해주던 사람은 또 누구였던가. 오직 그만이 아무도 납득할 수 없을 거라 생각했던 내 시간들을 이해해주었고 그 시간이 무의미하지 않다고 말해주었다. 오직 그만이 내가 병신이라서가 아니라 누구든 목숨보다도 더 소중한 사람에게서 버림받을 수 있으며, 좋아하는 사람 앞에선 얼마든지 나약해질 수 있고 두려움에 떨 수 있다고, 니가 특별히 못나서 그런 게 아니라고 말해주었었다. 그리고 그건, 나를 위해 먼 곳에서 날아와준 친구조차 해주지 못한 것이었다. 그런 사람을 내가 어떻게 비난할 수 있단 말인가.

이튿날. 나는 월차를 내고 문예일보로 권순원 기자를 찾아갔다. 휴대폰을 받지 않아 무작정 찾아가기로 한 것이다. 신문사에는 처음 가보는 것이었다. 광화문에 있는 문예일보사 건물 입구에 들어서니 넓은 로비 끝 쪽에 지하철 개찰구처럼 생긴 보안검색대가 있었고 그 옆에 제복을 입은 늙은 경비가 앉아 있었다. 권순원 기자를 만나러 왔다고 했더니 뚱한 얼굴로 나를 훑어본 경비는 사전 약속이 되어 있지 않으면 들어갈 수 없다고 대꾸했다. 그래도 내가 사정하자 경비는 하는 수 없다는 듯 어디론가 전화를 걸더니 기자가 외근중이라고 알려주었다. 나는 로비 구석에 있는 커피숍에 앉아 그를 무작정 기다렸다. 천장이 삼층까지 높게 뚫려 있는 로비는 드나드는 사람이 많지 않아 조용했고 가끔 또각또각 하는 구두 발자국 소리만이 들려올 뿐이었다.

"어이……."

한 시간쯤 됐을까. 한 떼의 기자들이 로비 안으로 몰려들어왔다. 그런데 권순원 기자는 보이지 않았다. 내가 의아해하며 쳐다보자 경비는 마지막에 떨어져 걷는 사람을 턱짓으로 조심스레 가리켰다. 어떤 남자가 뭔가 생각하는지 고개를 숙인 채 일행과 뒤미처 느린 걸음으로 걸어오고 있었다. 재빨리 사원증을 확인하니 이름은 권순원이 맞는데 내가 만난 사람이 아니었다. 안경을 쓰긴 했지만 평범한 덩치에 그냥 보통 어른의 모습…….

"저 혹시…… 문학 담당하시는 권순원 기자님이십니까?"

"네, 무슨 일이시죠." 그는 웃음을 띠며, 그러나 사무적으로 물었다. 이게 도대체 어떻게 된 거야? 나는 일단 급한 대로 이야기를 꺼냈다.

"저 죄송하지만 잠깐 드릴 말씀이 있어서요, 김용휘, 아니 방세옥 작가 일로……"

"출판사에서 오셨어요? 내가 다 통화했는데." 그는 살짝 얼굴을 찌푸렸다. 항의 전화라도 받은 걸까.

"출판사가 아니라 저는 그분 아는 사람인데요. 꼭 드릴 말씀이 있어서요." 표정으로 보아 그는 나를 점점 귀찮아하는 듯했다.

"아, 제가 지금 회의가 있어서 좀 바쁘니까 회사 전화로 연락을 주시겠습니까."

"그게 저…… 여러 번 했는데 연결이……."

그는 더는 내 말을 듣지 않고 쏜살같이 검색대를 지나 안으로 들어가버렸고, 나는 말도 제대로 붙여보지 못한 채 혼자 그 앞에 서서 중얼거려야 했다.

"당신이 연락해도 안 받았잖아."

기자는 이미 엘리베이터에 올라타고는 사라져버린 뒤였다.

그나저나 이게 어떻게 된 거지? 그럼 내가 만난 그 사람은 대체 누구라는 거야?

저녁 여섯시, 루카. 테이블 위에 올려놓은 넷북으로 용휘에 관한 기사를 읽고 있던 제롬이 찻잔을 달그락거리며 말했다.

"별 희한한 일이다. 그렇다면 그 남자가 우리한테 거짓말을 했다는 건데, 명함도 가짜란 얘기고."

"그럼 그 어린애 사진은 어떻게 된 거지. 분명 그때 내 말을 듣고 찍은 것 같았는데……."

"진짜 뭐가 뭔지 모르겠네. 이러다가 CSI까지 등장하는 거 아니냐?"

녀석의 농담에 모처럼 웃는데, 그때 가게 안쪽에서 어딘가 낯익은 목소리가 들려왔다.

"그 친구가 사진을 찍어서 신문사에 보낸 걸 거야."

돌아보니 김이 모락모락 나는 주방 안쪽에서 하얀 조리복을 입은 용휘가 서 있었다.

"아저씨!" 나는 반가워 자리에서 벌떡 일어났다. "도대체 여기서 뭐하시는 거예요."

긴 조리모자를 어색하게 쓴 용휘가 오랜만에 보는 주름진 얼굴로 활짝 웃으며 말했다.

"응. 머리가 좀 아파서 한 며칠 여기서 일했었어. 빵 굽고 커피 내리고, 전부터 해보고 싶었거든."

역시 나만큼이나 놀라 서 있던 제롬이 용휘에게 먼저 다가가 손을 내밀었다.

"잘 지내셨어요?"

"그럼."

나는 용휘에게 자리를 내주기 위해 안쪽으로 들어가려는데 그가 주방에 선 채로 말했다.

"지금은 일해야 하니까, 가만있자…… 너네 집에 가서 이거 좀 읽고 있을래?"

그는 주방 안으로 들어가더니 웬 꼬깃꼬깃한 봉투 하나를 가지고 나와서는 나에게 건넸다.

"이게 뭔데요?"

"보면 알아."

말을 마친 용휘가 곧 주방으로 들어가 오븐을 열고 구워진 빵을 꺼내는 데 열중했기 때문에 우리는 그길로 가게를 나왔다. 아마 루카에서 얘기를 나누긴 곤란하다고 생각하는 것 같았다.

23. 봉투

집으로 가는 길.

급한 마음에 누런 봉투를 열어보니 안에는 웬 낡은 노트가 하나 들어 있었다. 노트라 하기엔 작고 수첩이라 하기엔 조금 큰, 진한 고동색 가죽커버를 씌운 네모난 종이 묶음.

제롬이 동봉되어 있던 메모를 냉큼 꺼내더니 큰 소리로 읽어내려갔다.

용우, 제롬.
이렇게 된 이상 이야기를 하는 수밖에 없겠네. 아마 두 사람 모두 나에 대해 의구심을 가진 부분이 있을 거라 생각해.

녀석한테서 꿀꺽하고 목으로 침을 넘기는 소리가 났다.

두 사람에게 전하는 나의 고백을 이것으로 대신할까 하니 함께 읽어줬으면 좋겠어. 난 다 읽을 때쯤 도착할 거야. _친구 용휘.

봉투 안에 든 것은 방금 읽은 메모지와 노트 한 권이 전부였다. 얼추 들춰보니 용휘가 책을 쓰면서 작성한 일지 같았다. 얼마나 손을 댔는지 가죽으로 된 커버 가장자리는 닳아 헤어질 만큼 낡아 있었고 연필로 쓰인 안의 글씨는 군데군데 뭉개져 흐릿했다. 말로 설명해도 될 일을 굳이 이런 걸 보여주는 것으로 보아 용휘는 아마도 이 안의 내용들이 진실이라는 걸 강조하고 싶은 것 같았다. 우리는 서둘러 집으로 가 나란히 소파에 붙어 앉아 노트를 펼쳤다. 표지를 넘기자 첫 장에 굵은 글씨로 다음과 같은 글귀가 쓰여 있었다.

내가 글을 쓰게 된 것은 한 여자 때문이었지.
그녀는 아름다웠어.

24. 비망록

늘 가던 광화문의 한 서점에서,

우연히 한 여자를 만났다. 나이는 서른 살. 소설을 쓰는 게 꿈이라고
했다. 내가 달리 무슨 말을 할 수 있었겠나. 그녀는 예뻤다. 그리고 책
을 몹시 좋아했다. 나는 책을 읽지는 않았지만 평소 서점에서 많은
시간을 보냈기 때문에 어지간히 유명한 책의 제목은 꿰고 있었다. 그
러므로 그녀와 대화하는 데 별 어려움이 없었다. 짓궂지만 악의 없는
바람둥이처럼, 나는 늘 하던 대로 별 죄책감 없이 그녀에게 나는 소
설가라고, 우연히도 당신의 생일인 올해 11월 18일에 첫 책이 나온
다고 나를 소개하였다. 내가 무슨 배짱으로 그런 거짓말을 했겠는가.
나는 그날 이후 다시 그녀를 볼 수 있다고는 생각하지 않았다. 하지
만 그녀는 이 의도된 우연에 민감하게 반응했고, 우리는 서점 근처에
있는 레스토랑으로 자리를 옮겨 함께 저녁을 먹었다. 나는 스테이크
를 그녀는 파스타를 시켰는데, 그녀는 주문한 음식이 채 나오기도 전
에 내게 소설가가 되기까지의 과정을 이야기해달라고 졸랐다.

그러나 나는 소설가도 작가도 아니었다. 설사 되고 싶었다 해도 결정적인 하자가 있었는데 바로 책을 읽지 못한다는 것이었다. 별다른 이유가 있는 것은 아니었다. 책보다 재미있는 게 널렸으니까. 책만 보면 잠이 쏟아지니까. 그러면서도 서점은 비가 오나 눈이 오나 늘 찾을 정도로 좋아했다는 점이 특이했을 뿐. 문제는 그만 여자가 진짜로 좋아져버렸고, 그래서 내가 소설가라는 그 거짓말을 현실로 만들 결심을 했다는 것이다. 그것도 달랑 육 개월 안에. 짧은 습작 한 편 써본 적 없고, 그렇다고 소설 한 권 제대로 읽은 적도 없는 내가.

"그게 말이 돼? 그런 이유로 소설가가 될 수 있다면 지금쯤 남자라면 누구나 소설가나 시인이 되어 있겠지."

제롬이 투덜거릴 만도 했던 게, 노트에서 밝혔듯 용휘는 책을 안 읽은 것은 물론, 그전까지 글 한 줄 써본 적 없으며, 그저 부모 잘 만나 별걱정 없이 세상을 살아가던 팔자 좋은 사람에 불과했기 때문이다. 허나 그날 그의 입에서는 죽음을 앞두고 청산유수로 왕을 홀려대던 아라비아의 왕비처럼 막힘없이 이야기가 흘러나왔다. 자기는 이름도 얼굴도 없는 대필 작가이며 자기가 쓴 책들은 권당 수십만 부가 팔려나가는 베스트셀러이나 오늘 당신을 만난 것을 계기로 이제 남의 글을 대신 써주는 생활을 청산하고 진짜 나의 책을 쓸 거라는 둥, 그럴싸한 말로 여자를 홀리기 시작했던 것이다. 말을 듣고 난 그녀가 눈을 빛내며 그가 쓴 책의 제목을 물었을 때, 그는 또 '육 개월 뒤 당신의 생일에

나올 소설이 나의 진정한 첫 작품'이라 둘러댔고, 그녀의 얼굴이 수줍
게 타오르자 덧붙이길, 그래도 자긴 계속해서 모습과 이름을 감춘 채
살아갈 것이며 그렇게 된다면 당신은 내 진짜 존재를 아는 유일한 독자
가 되는 것이라 속삭였던 것이다.

여자는 이 기가 막힌 우연의 연속에 거듭 감동하였는데, 그는 그저
그녀가 가장 좋아하는, 은둔의 왕이라 불리는 미국의 소설가 제이디
샐린저를 따라 한 것뿐이었고, 김용휘라는 촌스런 이름에 대한 오랜
콤플렉스로 상상 속에서나마 필명을 생각한 것뿐이었으나, 그녀에겐
이 모든 일들이 원래부터 정해져 있어 거스를 수 없는 운명처럼 여겨졌
던 것이다. 그 모든 게 꾸며낸 이야기인 줄도 모른 채.

여기까지 읽자 사연이 대충이나마 이해는 됐다. 그가 저런 식으로 구
라를 쳐 여자를 꼬셨단 무용담은 지난 일요일 밤마다 숱하게 들어온
것이었으니까. 하지만 구라를 진짜로 만들려고 했단 얘긴 들어본 적이
없기에 궁금했다. 펼치기만 하면 잠이 쏟아져 책 한 권 변변히 읽지 못
한다는 그가 어떻게 여섯 달 만에 뚝딱 소설 한 편을 쓸 수 있었는지.
해답은 바로 그다음 쪽부터 나와 있었다. 뭐랄까. 그건 전교 꼴찌만 하
던 고3 수험생이 갑자기 불가능한 목표를 정해놓곤 하루 두 시간밖에
자지 않으면서 초인적인 노력을 해가는 수기를 보는 느낌이었다. 그렇게
육 개월간의 눈물겨운 노력 끝에 그는 기어이 원고지 육백 매짜리 경장
편 하나를 완성할 수 있었던 것이다.

『세계 최고가 아니면 견딜 수 없는 사나이』, 방세옥.

그것은 한마디로 사랑의 힘이었다. 그렇게 해서 용휘는 팔자에 없던 소설가가 됐고, 11월 18일 그녀의 생일이 발행일로 선명히 박힌 책을 제날짜에 선물한 덕분에 그녀와 연인이 될 수 있었다는 것이다.

다 읽고 보니 꽤나 로맨틱한 사연이라, 난 용휘가 그렇게나 좋아했다던 그녀가 어떤 사람인지, 또 그후 두 사람은 어떻게 됐는지 궁금했지만 아쉽게도 이야기는 거기서 뚝 잘려 있었다.
"야, 어떠냐?"
나는 글을 다 읽고 화장실에 들어갔다 나오는 녀석에게, 녀석도 나처럼 그럴듯하게 읽었나 싶어 은근히 말을 붙여봤지만 녀석은 무심히 대답했다.
"뭐, 재밌네. 근데 개는 왜 죽였을까?"
난 아무 대답도 하지 않았다.

25. 인터뷰

"읽느라 고생들 했지."

이제 더는 자기 정체를 숨기지 않아도 되어서였을까. 집으로 들어선 그는 차림새부터 우리가 알던 용휘가 아니었다. 기껏해야 가죽재킷 차림이던 그가 지금은 세련된 엷은 회색 슈트에 고급스러운 밤색 구두를 신고 우리 앞에 서 있었으니.

"야, 멋있어지셨는데요."

"원래 멋있었지."

워리가 자지러질듯 몸부림을 치며 그에게 덤벼드는 동안, 제롬은 다소 굳은 얼굴로 나름 우리집의 상석인 소파 자리를 양보하느라 자리에서 일어섰고, 나는 용휘가 좋아하는 라디오를 튼 다음 볼륨을 낮추고 제롬과 함께 마루에 자릴 잡았다.

"죄송해요. 그동안 통 뵙지도 못하고."

묵묵히 워리를 쓰다듬던 용휘가 괜찮다는 듯 고개를 끄덕였다. 라디오에선 웬 여자 보컬이 〈문 리버〉를 마치 축음기에서 흘러나오는 옛 노래마냥 애잔하게 부르기 시작했다.

— 문 리버 와일더 댄 어 마일…….

"사람의 목소리라는 건 정말 신기해." 눈을 감은 채, 가만히 노래를 듣고 있던 용휘가 말했다. "이 세상에 똑같은 목소리가 하나도 없으니 말이야. 주위에 아는 사람들 목소리를 한번 떠올려봐. 어쩜 그렇게 사람마다 다를 수가 있는지."

"생긴 것도 그렇잖아요. 세모꼴 네모꼴 마름모꼴……."

제롬의 그 말에 우리는 오랜만에 함께 미친듯이 웃었다. 순간 우리 셋의 얼굴이 정말로 그렇게 보였기 때문이다. 용휘는 특유의 웃음소리로 꺽꺽거리며 파안대소하더니 기분이 좋아졌는지 꼭 선심이라도 쓰는 양 이렇게 말했다.

"자, 기분이다. 물어봐, 탐정 나리들."

"네?"

"너네들 탐정이라며. 나에 대해 조사했을 거 아냐. 흔한 기회 아니니까 궁금한 것들 물어보라고. 내일부터는 다시 입을 꽉 다물 거니까."

두 사람의 인터뷰 같은 대화는 그렇게 시작되었다. 제롬은 신속하고도 또박또박한 말투로 처음 사실을 접하고 혼란스러웠던 마음과, 왜 우리에게까지 정체를 숨겨야 했는지, 우리가 무엇 때문에 놀랐었는지에 대해 얘기했다. 용휘는 간간이 고개를 끄덕여가며 진지하게 이야기를 들었고 제롬의 말을 중간중간 끊어가며 성실히 답을 해주었다. 덕분에 우린 완벽히는 아니더라도 어느 정도 오해가 풀려서, 그가 평소엔 철저히 김용휘로 지내다가 오직 글을 쓸 때만 방세옥이 된다는 것, 또 많은 책을 팔면서도 등단을 하지 않았기 때문에 알게 모르게 문단의 배척과 시기를 받아왔다는 것, 그래서 이런저런 터무니없는 소문이 따라붙어도 인터뷰를 하지 않으니 해명조차 할 수 없었다는 것, 그리고 소설을 쓰게 만든 그녀와 몇 년 전 헤어졌다는 사실까지 알게 되었다.

"그다음은 뭐였지? 아, 그 기자 사칭한 놈은 누구냐고? 나도 몰라. 벌써 몇 년째 날 쫓아다니는데 이유를 말 안 해주니까. 그리고 또…… 그래. 청백아파트 개 살해 사건. 그건 얘기할 게 좀 있지." 내내 몸을 앞으로 기울인 채 골몰하듯 말하던 용휘가 허리를 비스듬히 뒤로 젖히며 제롬을 향해 씩 웃어 보였다. "먼저, 그 사건의 범인은……" 제롬이 침을 꿀꺽 삼켰다. "당연히 내가 아냐." 녀석의 얼굴에서 안도와 실망의 빛이 동시에 스쳐갔다.

"하지만 김반장이 나인 건 맞아."

용휘는 다행이라는 듯 꼬리를 흔들며 자신의 품속으로 파고드는 워리의 목을 다정히 쓰다듬으며 말했다.

"너희가 이사 오기 전 일인데, 작년 2월에 옆 동네에서 큰 공사가 있었어. 그래 수소문 끝에 조용하다는 아파트를 찾아 세를 얻어 갔지. 근데 혼자 사는 사람들이 많아 조용하긴 했는데 대신 개들이 많더라구. 복병을 만난 거지."

그래서, 기왕 그렇게 된 거 자기가 소음에 극도로 민감한 싸이코라

가정하고 그 상황을 소설로 써나갔다는 것이다. 덕분에 살아 있는 이야기들을 얻긴 했지만 상황에 몰입하다보니 개를 세 마리나 기르는 아랫집 여자와 대판 싸우던 어느 날, 그만 폭발해 온 아파트에 써붙였다는 것이다. 개새끼들 한 번만 더 짖게 하면 쥐약을 풀어서 다 죽여버리겠다고.

"물론, 사람들의 반응을 살피기 위한 일이었지. 의도대로 수확도 있었고. 근데 하필 어떤 집 개가 진짜로 죽어버렸네. 정말 쥐약을 풀었냐고? 미쳤니? 그 개는 자연사였어. 무려 열일곱 살짜리 슈나우저였다고."

그가 조금 흥분하는 것 같아 물을 가져다주니 용휘는 투명한 물잔에 방금 채워진 찬물을 벌컥거리며 입안에 쏟아넣었다.

"단지 주인이 부검은 절대 안 된다면서 서둘러 화장을 해버리는 바람에 꼼짝없이 내가 뒤집어쓴 것뿐이지. 그러더니 갑자기 멀쩡한 퍼그도 죽었네, 뭐가 어쨌네……."

이야기를 마친 용휘가 열이 오르는지 재킷을 벗고 푸른색 데님 셔츠의 한쪽 소매를 걷어올리는 동안, 그의 발치에서 새근거리며 잠이 들어 있던 워리가 작게 코를 골기 시작했다.

그럼 그렇지. 애초부터 저런 사람이 무슨 개를 죽인다고…….

고개를 수그린 채 내내 말없이 용휘의 얘길 듣던 제롬도 아마 그의 답변이 믿을 만하다고 느꼈는지 굳은 얼굴이 조금 풀려 있었다. 잠시 대화가 소강상태를 보이자 잠들어 있는 워리를 물끄러미 바라보던 용휘가 말했다.

"일이 이렇게 돼서 유감이다. 그 염병할 놈만 아니면 난 너희와 계속 잘 지낼 수 있었을 텐데."

"앞으로도 잘 지낼 수 있어요. 저흰 아저씨가 누구라는 걸 아무한테도……"

"아니아니, 그런 얘기가 아니야. 용우야."

무슨 영문인지 용휘는 고개를 강하게 흔들며 내 말을 잘랐고, 그러곤 곧 표정을 고쳐지으며 왜, 뭣 땜에 그러는지에 대해선 아무런 설명 없이 제롬을 재촉했다.

"또 뭐 없어? 빨리 물어봐. 열두시 다 돼간다."

그러나 제롬은 이제 궁금한 게 어지간히 풀렸는지 그의 재촉에도 한결 여유 있는 표정으로 책을 못 읽는다는 게 진짜냐, 작가가 어떻게 그럴 수가 있냐며 따졌고, 용휘는 왜 그럴 수가 없냐며 녀석과 설전을 벌였다.

"아저씨의 글쓰기 선생님이 그 여자친구 분이었다면 말이죠, 그분은 그런 안목을 많은 책을 통해 길렀을 텐데, 그렇다면 과연 아저씨가 책의 도움을 받지 않았다고 할 수 있을까요? 간접적으로라도 책을 안 읽었다고 할 수는 없단 말이죠."

제롬은 물 만난 고기처럼 그 순간을 즐기고 있었고, 마침내 열두시 십오 분 전. 모처럼 솔직하게 자기 얘길 들려주는 용휘와의 대화가 만족스러웠던지 녀석은 생각보다 빨리 마지막 질문을 던졌다.

"벌써? 이거 각오 많이 했는데 실망인걸." 용휘가 피우던 담배를 재떨이에 비벼 끄며 능청스레 얼굴을 찌푸렸다.

"뭐, 나중에 또 기회가 있겠죠."

"그럴 일은 없을 거야."

제롬의 조금은 낙관적인 기대에 용휘는 의미심장하게 웃으며 선을 그었다.

"아무튼 물어봐. 자, 이제 마지막 질문."

"이번 일…… 터지지 않았으면 저희한테 계속 숨기셨을까요?"

"아마도."

"설마, 저희가 계속 모를 거라고 생각하신 거예요?"

"당연하지."

"왜요? 어떻게 그렇게 자신하시는데요?" 녀석은 끝까지 지기 싫어하는 태도로 눈을 크게 뜨곤 용휘의 답을 기다렸다.

"왜냐하면……" 용휘는 자신의 바로 앞에 있는, 우리집에서 하나밖에 없는 빈 책장을 가리키며 말했다.

"너네 집 책장에는 책이 한 권도 없었으니까."

푸하하하.

히히히.

으하하하.

긴 대화를 끝내고 자리에서 일어난 우리는 누가 먼저랄 것도 없이 화장실을 가고 기지개를 켰다. 꼭 자기 집처럼 편하게 냉장고를 열어 물을 꺼내 마시는 용휘를 보면서 나는 모든 게 제자리로 돌아와 다행이라고 생각했다.

26. 곽소영

"계세요?"

그때 누군가 문을 두드려 나가보니 어떤 젊은 여자가 니트로 된 크림색 민소매 셔츠에 역시 비슷한 색의 통이 넓은 면 팬츠 차림으로 문 앞에 서 있는데 머리는 방금 감은 듯 물기가 남아 있었고 커다란 백을 들고 꾸부정하니 있는 모습이 꼭 선머슴 같았다.

"아, 왔어? 들어와. 자, 이쪽은 월간 『디앤디』의 편집장 곽소영씨."

"안녕하세요. 그냥 곽소영이라고 불러주세요."

여자는 환하게 웃으며 익숙한 듯 집으로 들어섰고, 우리는 벌떡 일어나 엉거주춤한 자세로 인사를 나눴다.

"두 분 말씀 많이 들었어요."

여자는 꼬리를 흔들며 다가서는 워리를 능숙하게 다루며 제롬이 잽싸게 가져다준 방석 위에 앉더니 우릴 보고 환하게 웃어 보였다. 얼굴이 작고 눈코입이 투명하게 생긴, 맑은 생김새.

칠 년간 사귀다 헤어진 여자친구는 자기 얼굴의 윤곽이 뚜렷하지 못한 것이 늘 불만이었다. 좀더 세 보이는 인상이면 좋았을 거라면서. 그럴 때면 난 네 얼굴이 맑아서 좋다고 말해주곤 했었다.

"얼굴이 맑다는 게 도대체 무슨 말이야? 눈코입이 흐릿하게 생겼다는 거지?"

"아니, 너무 진하게 생기지 않았으면서도 예쁘다는 뜻이야. 난 그런 게 좋은데."

"난 싫어."

여자는 제롬이 가져다준 물을 짧게 한 모금 마시더니 조곤조곤하면서도 거침없는 어조로 말하기 시작했다.

"최근 용휘씨에 대한 보도는 명백한 명예훼손이에요. 사진은 각도를 교묘하게 잡았을 뿐 그게 아이에게 손을 댔다는 증거는 될 수 없죠. 오늘 해당 신문사에 정정보도 요청을 했는데 곧바로 받아들여졌어요. 이미 아이 부모에게 증언도 받아 신문사에 전달했고요. 아마 내일이나 늦어도 주말 안으로는 정정기사가 나올 거예요."

나는 그녀의 빠르고 빈틈없는 설명을 들으면서 오래전에 보았던 영화 〈펄프 픽션〉의 한 장면이 떠올랐다. 그녀는 마치 그 영화에 나오는 '해결사' 하비 카이텔 같았는데, 그는 손에 피 한 방울 안 묻히고 누굴 죽이지도 않으면서, 사람을 죽여놓고 수습하지 못해 어쩔 줄 몰라 하는 얼간이 갱들을 위해 상황을 정리해주는 사람이었다. 그가 했던 일이라곤 단순하기 짝이 없는 일의 순서를 정해주는 것뿐으로, 이를테면 "넌 시체를 토막내 자루에 넣고, 넌 이 걸레로 차 안을 십 분 내로 깨끗이 닦아. 그런 다음 담요를 한 장 가져와서 상처 난 뒷좌석 시트를 덮어. 마지막으로 피 묻은 옷은 벗어서 나에게 주고 마당으로 나가 수돗물로 샤워를 한 다음 여기 이 반바지와 티셔츠로 갈아입으면 되는 거야" 하는 식이었다. 그런 그에게 갱들은 자기한테 명령하지 말라느니 운동화는 신을 수 없다느니 투덜거리면서도 그가 시키는 대로 하니 정말 아무런 탈도 없이 무사히 살인 현장을 빠져나갈 수 있게 된다. 나는 바로 그 해결사 하비 카이텔이 지금 우리 세 얼간이들 앞에 나타나 일사천리로 사태의 해법을 제시하고 있는 것만 같았다. 여자는 계속 지시를 하달했다.

"한번 실추된 명예는 쉽게 돌아오지 않죠. 그 사람은 아마 그 점을 노린 걸 테고요. 그러니까 용휘씨가 아이들을 싫어하지 않는다는 걸 언론에 보여줄 필요가 있어요. 내가 좀 알아본 게 있는데……"

여자가 자신의 초록색 백에 손을 넣어 뭔가를 꺼내려고 하자 용휘는 손을 내저으며 여자의 말을 끊었다.

"그 정도면 됐어. 그리고 내가 애들 싫어하는 건 사실인데 뭘 그래."

용휘는 웃으면서 농 비슷이 말했지만 여자는 그런 용휘를 상황 파악도 못하고 응석이나 부리는 막냇동생쯤으로 여기는 것 같았다.

"지금 농담이 나와요?"

여자가 나직이 말하며 용휘를 흘겨보자 그 왠지 모를 서슬에 분위기는 어색하게 냉각되었다.

이 여자는 대체 용휘와 무슨 사이지? 나는 때때로 여자를 힐끔거렸지만 시선이 그렇게 자연스럽지는 못했다. 갈색빛 나는 긴 머리 사이로 드러난 이마가 반듯했고, 나이는 서른둘셋쯤? 표 나게 예쁜 얼굴이라기보다는 전체적으로 세련되어 보이는 인상을 주는 타입이었다. 그저 바지에 셔츠 바람이었어도 나는 그녀의 예사롭지 않은 가방과 팔목의 액세서리에서, 또 그녀의 살결과 나긋한 손짓과 풍기는 느낌에서 분명히 알 수 있었다. 우리 같은 놈들이 쉬이 만나볼 수 없는 부류의 여자라는걸.

"그럼 저는 마감 때문에 이만 가봐야겠어요. 두 분, 용휘씨 잘 부탁해요."

용휘 때문에 상한 기분이 풀리질 않는지 여자가 갑자기 백을 챙겨 자리에서 일어나자 용휘는 당황해하며 따라 일어섰다.

"벌써 가려고?"

"네. 오늘은 이 두 분을 만나러 온 거니까. 참, 나 좀 데려다줘요. 할 얘기도 좀 있고."

"뭐 이 시간에?"

시간이 새벽 한시를 넘어가고 있었다.

"이 시간이니까 데려다줘야죠. 몰지도 않는 재규어 이럴 때나 몰지 언제 몰아요."

여자는 마치 용휘의 여자친구라도 되는 양 행동했고, 용휘가 쩔쩔매며 여자를 따라나가고 나자, 우리는 약속이나 한 듯 눈을 마주쳤다.

하얀색 재규어 XFR!

집 앞 유료 주차장 구석에 거만하게 서 있는 모습을 볼 때마다, 도대체 이 동네에서 저런 비싼 차를 모는 인간이 누굴까 궁금하게 만들던 바로 그 녀석이 용휘의 차였다니…….

용휘가 돌아가고 난 뒤 제롬이 욕실에 들어가 입에 칫솔을 물고 나오면서 이렇게 중얼거렸다.

"우린 왜 저런 여자가 없는 거지?"

"몰라서 묻는 거냐."

"베스트셀러 작가가 아니니까?"

"당연하지."

자려고 불을 끄고 침대에 눕는데, 저멀리 길 건너편 주차장에서 여자를 태우고 갔던 재규어가 굉음을 내며 돌아오는 소리가 들려오는 것만 같았다.

27. 용휘의 사생활

"좋은 데 안 갈래?"

며칠 뒤 월요일 밤. 1억2천짜리 재규어 XFR이 용휘와 나를 태우고 삼선교를 지나 명륜동 성대 앞쪽으로 내달렸다. 매끈하게 닦여진 차창 밖으로 늘 보던 풍경이 그림처럼 스쳐갔고, 기어를 잡고 있는 용휘의 오른쪽 손목엔 잡지에서나 보던 파텍필립 시계가 둘려 있었다. 만약 진품이라면…… 저걸 진짜로 차고 있는 사람을 난 태어나서 처음 보는 것이었다. 창경궁을 지날 무렵 바깥공기가 쐬고 싶어 창문을 내리려는데 잠금장치가 걸려 있었다. 창문 내리는 게 싫어서 그러는 걸까? 용휘가 그런 나를 힐끗 보더니 에어컨을 틀어준다. 퇴근시간 직후라 그런지 시내로 나가는 방향의 도로는 한적했다. 계동 현대 사옥 근처를 지날 때쯤이었을 것이다. 무슨 이유에선지 용휘의 얼굴이 조금씩 굳어지기 시작했다.

"아저씨 괜찮으세요?"

"응."

그러나 대답과는 달리 목적지가 가까워올수록 그의 얼굴엔 점점 더 불안한 기색이 역력했다. 그리고 그 알 수 없는 불안감은 국세청 건물로 들어간 그가 지하 삼층에 차를 세운 다음 계단을 통해 위층에 있는 반디앤루니스로 올라가면서 거의 극에 달했다. 서점 입구에 다다르자 그는 학질이라도 걸린 사람처럼 안절부절못하더니 회전문을 타고는 그대로 빨려들어가듯 서점 안 어딘가로 사라져버리고 말았던 것이다. '왜 저러지?' 나는 화장실이 급했으려니 생각하곤 혼자서 터덜터덜 서점 이곳저곳을 둘러보았다. 내게 서점은 데이트할 때나 가끔 오는 곳이어서 지난번 용휘 때문에 강남과 광화문에 있는 교보문고를 한 차례씩 들른 것 말고는 거의 이 년 만에 와보는 것이었다. 십 분 만에 서점 한 바퀴를 휙 돌고선 다시 정문 앞으로 왔더니, 어떤 남자가 카운터 뒤쪽 베스트셀러 코너 앞에서 순위판을 그야말로 뚫어져라 보고 있었다. 용휘였다.

"뭘 그렇게 심각하게 보세요."

나는 웃으며 그의 뒤로 다가가 어깨를 툭 치며 물었다. 그런데 용휘는 내 말에 대답을 하려는 게 아니라 분에 못 이겨 혼잣말을 하듯 이렇게 내뱉는 것이었다.

"그 멍청한 새끼 때문에 순위가 곤두박질을 쳤네. 씨발. 원래 저쯤은 있어야 하는데."

계속되는 용휘의 평소답지 않은 모습에 나는 그저 컨디션이 안 좋은가보다고 생각했다. 그런데 다음번에도, 또 그다음번에도 용휘는 나를 데리고 서점에 갈 때마다 긴장으로 온몸이 뻣뻣해져서는 도착하기 바쁘게 어디론가 내빼길 반복하는 것이었다. 한번은 어딜 그렇게 가시냐고 물었다. 순찰을 돌고 오겠단다. 순찰? 무슨 순찰? 처음에는 이 사람이 나를 웃기려고 그러거나 뭔가 다른 특별한 이유가 있을 거라고 생각했다. 하지만 몇 번 따라가보고서, 나는 그것이 그의 정말로 진지한 행위라는 것을 알게 되었다.

"순위가 한 칸 밀려나면 내가 그만큼 밀려난 느낌이 들어. 책이 진열대에서 사라지면 내가 사라지는 느낌이 들고."

아…… 이게 사람들이 말하던 바로 그 책장사꾼 방세옥의 모습인 것일까?

그 주의 판매등수가 차곡차곡 매겨진 순위판을 등지고 서서, 용휘는 나로선 도무지 이해하기 힘든 절박함이 서린 표정으로 그렇게 말했다.

그는, 내가 아는 작가의 모습이라곤 눈곱만큼도 없는 사람이었다. 맨날 동화 코너에 죽치고 앉아 어린애들이랑 자리싸움이나 하고 있는 그에게 대체 뭐하냐고 물어보면 "시장조사"라고 태연히 대답했고, 늘 하는 서점 순찰을 돌다 행여 진열 상태가 마음에 들지 않기라도 하는 날엔 휴일이고 밤이고 가리지 않고 마케팅팀에 전화를 걸어 불호령을 치곤 했다. 하여튼 서점에만 가면 그는 완전히 다른 사람이 되었다. 늘 들어서는 순간, 얼굴엔 알 수 없는 긴장과 적의로 가득 차 조금 팔린다 싶거나 평판이 좋은 남의 책이 있으면 여지없이 집어들고선 이걸 지금 글이라고 썼냐는 둥, 중새끼들은 왜 이렇게 책을 많이 내냐는 둥 거친 소릴 서슴지 않았다. 무엇보다 중요했던 건 바로 자기 책의 판매순위로, 그게 시원치 않은 날엔 서점을 나설 때까지 내내 어깨가 처져 그어떤 것으로도 회복이 되질 않았다. 희한했던 건 서점을 벗어나기만 하면 다시 거짓말처럼 내가 알던 원래의 김용휘로 돌아온다는 거였는데, 그렇게 애착을 갖는 공간에서 멀어지면 멀어질수록 그만큼 더 편안해 보이는 그의 모습은, 아무리 생각해도 기이하기 짝이 없는 광경이었다.

모르겠다. 유명한 작가라길래 난 뭔가 우린 모르는 화려한 생활을 엿보게 될 줄 알았다. 한데 평범한 용휘였을 땐 알지 못했던 고독하고 쓸쓸한 모습들을 이렇게 알게 될 줄은…….
자신의 정체가 밝혀진 뒤로, 용휘는 가끔 술을 마시거나 같이 밥을 먹자며 우리를 자신의 단골집으로 데려가곤 하였다. 조선호텔 20층에 있는 스시조라는 일식집에 갔을 때의 일이다. 1인분에 이십만 원도 넘는 후덜덜한 가격은 둘째치고, 우릴 맞이하는 지배인이 왠지 놀라는 것같아 슬쩍 다가가 물어보니 김사장님이 비서분 말고 다른 동행을 데려오시는 게 처음이라 그랬다는 것이다. 그게 말이 되나? 비서라 함은 보나마나 곽소영이란 여자일 테고, 어떻게 단골집에 친구 한번 안 데려올 수가 있지?
"친구가 없나보지 뭐." 제롬이 대수롭지 않게 말했다.
"그게 말이 돼? 저렇게 잘나가는 사람이?"

루카에서 본 용휘는 늘 누군가와 통화중이거나 항상 어디론가 바삐 다니는 사람이었다. 번듯한 중년 어른의 삶이란 저런 것인가, 하고 나의 부러움을 살 만큼. 그런데…… 그가 밤마다 간 곳이란 게 기껏 시내 서점이었고, 그와 통화하던 내 상상 속의 수많은 다양한 직업과 나이의 사람들이 실은 그의 책을 만들고 팔아주는 사람들이 전부였다니. 그뿐 아니다. 적어도 가까이에서 본 그는 내가 아는 한 우리 말고 다른 누구를 만나거나 따로 외출하는 일이 거의 없었다. 언제나 집과 서점, 아니면 루카만을 쳇바퀴 돌듯 오갔고 집 떠나는 것도 싫어해 여행 같은 건 일절 가지 않았으며 술 마시고 빵 먹는 거 말고는 이렇다 할 취미생활 하나 변변한 게 없었다. 그러니 이 나이 마흔세 살 먹은 남자의 관심사라는 건 오로지 자기 책의 판매고와 순위가 전부란 말인가?

어느 밤. 베란다에 나가 담배를 피우는데 건너편 용휘네 집 삼층 창가에서 그가 어둠 속 어딘가를 응시하고 있는 모습이 보였다. 나를 보지는 못한 것 같았다. 그는 자신의 많은 것을 털어놓았지만 우리가 정말 궁금해하던 것, 이를테면 자신의 집을 공개하겠다는 말 같은 건 여전히 꺼내지 않고 있었다. 왜 맑은 날에도 그렇게 죽어라고 우산을 쓰고 다니는지, 어째서 가족이나 친구 얘긴 하지 않는지, 더 알고 싶은 건 많았지만 일단은 참았다. 이제 막 속 얘기를, 그것도 그렇게 소상히 털어놓기 시작한 사람을 당장 더 캐묻고 들어갈 수는 없는 노릇이니까. 용휘가 뒤늦게 나를 발견했는지 손을 흔들고 있었다.

이런 생각이 드는 건 싫었지만, 그를 감싸고 있는 하얀 사각형 창틀이 어쩐지 그를 가둬두고 있는 것만 같았다.

28. 아이들과의 전쟁

　신문사에 교묘한 사진을 보내

　용휘를 괴롭혔던 자칭 권순원의 음모는 곽소영의 재빠르고 적극적인 대처로 조금씩 진정 국면에 접어들고 있었다. 그러나 정작 중요한 책의 판매고가 회복되지 않자 용휘는 조바심을 냈고, 쫓기듯 신작 집필에 들어갔는데 하필 동화를 쓰겠다는 것이었다.

　"좀 기다려요. 이제 막 잠잠해지려고 하는데."

　소영이 너무 이르다며 말렸지만 그의 머릿속에는 오로지 자기 책이 사라져버린 서점 순위판만이 가득할 뿐이었다.

　"아…… 근데 뭘 쓰지?"

　이야기가 안 풀리는 모양이었다. 그는 루카 앞을 미친 사람처럼 왔다 갔다하다가는 다시 안으로 들어가 꼭 수전증 환자처럼 손을 부들부들 떨며 평소의 세 배도 넘는 빵을 시켜 먹었다. 단팥빵, 속이 탄다고 음료수. 그리고 또 단팥빵, 페스트리, 또 음료수. 또 슈크림빵, 스콘, 조각 케이크, 도넛, 콜라……. 덕분에 허리와 턱엔 며칠도 되지 않아 미쉐린

타이어처럼 둥근 테가 둘렸고, 얼굴엔 밀가루 독이 올라 곳곳에 노란 화농이 보기 흉하게 올라왔다. 다른 작가들이 줄담배를 피워댈 때 이 사람은 빵으로 스트레스를 푸는 듯했다. 그래도 진도가 나가지 않았던지 그는 빵의 흡입을 멈추지 않았는데 나중엔 조금 과장하면 얼굴이 무슨 문둥병 환자처럼 울퉁불퉁해져 보는 나는 적잖이 충격을 받게 되었다. 소설가는 기껏해야 책상과 씨름하며 치질 같은 거나 조심하면 되는 줄 알았기에…….

그러나 그는 자기 몸 따위야 어찌되든 순위판 안에 자기 책이 돌아오지 않는 한, 단 한숨도 편히 잘 수 없는 사람처럼 글에 매달리고 또 매달렸다. 그렇게 걷고, 먹고, 괴로워하길 두 달째. 그토록 애를 먹이던 이야기의 실마리가 풀린 건 엉뚱하게도 서점에서 있었던 어떤 작은 사건 덕분이었다.

늘 그러듯 광화문 교보문고에 들러 평소처럼 순찰을 마친 후 함께 베스트셀러 코너로 가 지난주까지 두 달째 요지부동이던 순위판을 무심코 확인하는데 웬일로 용휘의 책 한 권이 순위권 안에 진입해 있었다. 턱걸이긴 했지만 그래도 10위. 그걸 본 용휘는 마치 중병이라도 완치된 환자처럼 삽시간에 얼굴빛이 환해지더니 이 책 저 책 손에 집히는 대로 집어 내 바구니에 하나 가득 채워준 다음 자기 바구니에도 넘칠 만큼 채워 계산대로 가져갔다. 이 정도로 기분이 좋아 보이는 게 얼마 만인지 모를 정도였다. 그런데 아까부터 용휘 뒤를 졸졸 쫓아다니며 그 모습을 지켜보던 한 열 살쯤 되어 보이는 밉살스럽게 생긴 남자아이가, 용휘가 바구니를 계산대에 올려놓자 코앞에서 손으로 그를 가리키며 이렇게 외쳤던 것이다.

"방세옥이다!"

순간, 계산을 하려고 주위에 줄 서 있던 사람들이 일제히 용휘를 쳐다보았고 당황한 용휘는 온몸이 홍당무처럼 새빨개지고 말았다. 정적. 그리고 그 정적을 찢는 어린 남자아이의 하이톤으로 계속되는 질문 공세.

"그렇게 책을 많이 사는데 정말로 책을 못 읽어요? 아저씨 거짓말쟁이죠?"

대체…… 신문에 측면으로, 그것도 흐릿하게 실린 얼굴을 이 아인 어떻게 알아보았을까.

"얘, 어른한테 그게 무슨 말버릇이니."

나는 일단 용휘를 돕는답시고 황급히 애를 돌려세웠지만 이미 벌어진 상황을 수습하기엔 역부족이었다. 용휘는 마치 변장을 한 채 시내를 활보하다 정체가 들통난 투명인간처럼 계산도 하지 않은 채 그대로 지하 주차장으로 내달렸고, 사람들은 일제히 휴대폰을 꺼내들고는 허겁지겁 서점을 빠져나가는 그의 뒷모습을 부지런히 찍어댔다.

"저렇게 책을 많이 사는데 진짜 책을 안 읽을까?"

"저 사람이 동화 쓰면서 애들 팬다는 그 사람이지?"

단지 그거였다. 두 달 동안 한 글자도 풀리지 않는다며 괴로워하다 우연히 서점에서 만난 어떤 싸가지 없는 사내아이 때문에 일주일 만에 완성한, 자긴 애들이 너무너무 싫다고 씩씩거리면서 쓴 이야기.
'아이들을 싫어하는 위선자', '돈밖에 모르는 악마'⋯⋯.
소영의 말대로 동화를 출간할 분위기도 아니었고, 더군다나 그런 분위기에서 낼 제목은 더더욱 아니었다. 그런데도 그는 출판사와 소영 모두가 반대하는 출간을 강행했고 그로부터 꼭 한 달 뒤, 방세옥의 초등학교 저학년들을 위한 새 그림동화 『아이들과의 전쟁』은 당당히 동화 부문 1위, 베스트셀러 종합 부문 5위에 오르는 기염을 토했던 것이다.
"내가 뭐랬어. 뭐랬냐고."
개선장군처럼 의기양양해진 용휘는 다시 평소처럼 서점 나들이에 나섰는데, 변함없이 자기 책이 목 좋은 곳에 잘 놓여 있는지 저녁마다 꼼꼼히 순찰을 돌았고, 여전히 동네 골목에서 떠드는 아이들이 있으면 달려나와 진심으로 싸웠다.

29. 소영과 술을 마시다

그날 용휘는 루카에 없었다.

용휘가 늘 앉던 자리에는 웬일로 소영이 앉아 있었고 그녀는 탐스러운 긴 머리를 뒤로 잡아묶은 채 노트북에 뭔가를 바삐 타이핑하고 있었다.

"오늘은 기분이 좋아 보이네요."

언제나 친절하고 상냥한 표정과 말투. 가끔이지만 그녀가 짜증을 내는 사람은 용휘뿐으로, 바보가 아니라면 정말로 친근한 상대가 누구인지는 알 수 있다.

나는 꼭 용휘가 있을 때 그러듯 머뭇거리다 창가 쪽 대각선 맞은편에 자릴 잡았고, 마침 노트북을 접어 끈 그녀가 마시던 와인을 한 잔 더 시키는 바람에 우린 자연스럽게 함께 술을 마시게 되었다.

"진짜예요?"

나는 그날에야 비로소 그녀가 나보다 두 살이 어리다는 것을 알았다. 그러니까 이제 서른 살. 얼굴이 앳되어 보이긴 했어도 풍기는 분위기가 성숙해서 나이를 종잡을 수 없었는데, 그랬다. 서른 살의 여자는 이런 모습이구나. 스물여덟에 헤어졌으니 이제 그애도 서른 살이 됐을 것이다.

"무슨 생각해요?" 내가 딴생각에 빠진 걸 알아차린 그녀가 웃으며 묻는다.

"뭐 좀 물어봐도 돼요?"

"그럼요."

"서른이 되면 여자들은 보통 어때요?"

뜬금없는 질문이었지만 소영은 왜 그런 걸 묻냐고 하지 않았다. 자신에 관한 질문이 아니란 것도 알았다. 그날, 나는 소영에게 점점 더 많은 질문을 했고 그녀는 자신의 이야기도 많이 들려줬다. 원래는 일간지 기자 시험에 합격했는데 매일 거듭되는 음주 회식자리와 격무를 견디지 못하고 수습딱지를 떼자마자 그만두었다는 것. 잠시 라디오 방송국으로 외도를 했다가 다시 잡지사로 옮겨와 이제는 데스크가 되었고, 자신의 책도 두어 권 낸 적이 있다는 것 등등. "사람들이 잘 몰라요. 후후." 그녀는 칠 년 전 대학 졸업반 때 여행에세이를, 그 몇 년 후엔 별자리에 관한 책을 냈지만 그렇게 많이 팔리지는 않았다고 한다.

"용우씨 얘기도 좀 해봐요. 맨날 나만 얘기하는 것 같아."

"글쎄, 나야 뭐……."

어느덧 밤 열시 반을 넘어가고 있었다. 제롬한테 열시에 들어갈 테니 저녁밥 차려놓으라고 해놨는데……. 사실 나도 뭔가 얘기를 하고는 싶었지만 솔직히 별로 할 얘기가 없었다. 나는 그녀만큼 책을 많이 읽은 것도 아니고 그녀가 일하는 분야에 대해서도 잘 모르니까. 결국 둘이 마신 술병이 테이블 위에 꽤 모였을 때쯤, 난 또 공연히 엉뚱한 것이나 물어보고 말았다.

"우리가 잤는지 궁금한 거예요? 그런 아저씨랑 내가?"

둘이 무슨 사이냐는 내 질문에, 소영은 취했는지 눈을 반쯤 감은 채 장난스레 되물었고, 나는 전혀 그런 뜻이 아니었기에 당황하고 말았다.

"후후…… 그 사람 여자 못 만나요. 결혼하는 것도 꺼리는걸."

"에? 결혼을 꺼리다니? 아저씨가 왜?" 나는 놀라 되묻는데 하필 제롬 녀석이 들이닥쳤다.

"여기 있을 거 같더라."

취한 줄만 알았던 소영이 일순 호들갑을 떨며 제롬을 반긴다. 열시에 들어간다고 했던 나는 민망해져 뭔가 할말을 찾았고 녀석은 상관없다는 듯 낄낄거리며 소영과 농담을 몇 마디 주고받고는 이내 샌드위치를 사들고 곧바로 가겠다고 했다.

"가지 마, 제롬. 조금만 놀다 가요."

이상하게 나와 달리 두 사람은 거리감이 없다. 좁은 가게에서 한바탕 떠들썩한 실랑이가 오간 후, 녀석이 도망치듯 가버리자 그녀는 다시 좀 전처럼 가라앉아버렸다. 왜 나랑만 있으면 저렇게 되는 거지? 물끄러미 창밖을 바라보던 소영이 이윽고 입을 열었다.

"무서워서."

"뭐가?"

"아버지가 되는 게요."

　용휘는 당시 소문난 부촌이던 성북동 부잣집 중에서도 몇 손가락 안에 들 만큼 큰 집에서 태어나 아주 유복하게 자랐다고 한다. 아버지는 자수성가한 사업가였는데 어느 날 어머니 몰래 한눈을 판 것이 발각되어 이혼을 요구받게 되었고 그때, 원하는 대로 다 해줄 테니 두 아들 중 하나만 데려갈 것을 부인에게 사정했단다. 용휘의 어머니는 지는 것을 끔찍하게 싫어하는 사람이어서, 변변찮은 집안에서 태어나 가진 것 하나 없는 남자를 성공한 사업가로 만든 것도 모두 그녀의 집념 덕이었다고 한다. 그런데 야심이라곤 쥐뿔도 없으면서 이렇게 여자 하나 때문에 자신의 모든 것을 버릴 수 있다고 말하는 남편이 그녀는 한심하기만 했고, 결국 그녀는 남편의 재산을 거의 대부분 넘겨받는 조건으로 두 아들 중 하나만을 택하기로 했단다. 두말할 것 없이, 그녀는 자신의 꿈을 이뤄줄 아들을 선택하려 했고 그 잔인한 시간 동안 용휘는 엄마의 마음에 들기 위해 필사적으로 노력했으나 결국 선택받지 못했다. 어머니는 당신의 기질을 빼어다박은 동생을 데려갔고 가족은 그렇게 영영 쪼개지고 말았던 것이다. 빈털터리가 되자, 새 여자도 떠나 홀로 남겨진 아버지는 용휘가 떠나간 동생만큼 잘 자라주길 바랐으나 아들은 그 기대를 부러 저버리며 살아왔다. 그때 그의 인생에서, 더는 어떤 승부도 무의미했을 테니까.

"뜻하지 않게 유명한 작가가 되긴 했지만 사랑하던 사람은 자신을 떠난 뒤였죠. 후에 병을 얻은 아버지가 화해를 청해왔지만 끝내 외면했고, 그러자 아버지의 병은 더욱 깊어졌어요. 그뒤로…… 그 사람은 자기가 아버지도, 어머니도, 또 사랑했던 사람도 누구 하나 만족시키지 못했다는 사실 때문에 늘 자책했죠. 그래서 용휘씨는 자식을 낳음으로써, 혹시라도 자기가 만족시켜줄 수 없는 또 한 사람이 생길까봐 두려운 거예요. 그렇다면 그건 너무 잔인한 일이 될 테니까."

바람이 유리문 틈새로 새어 들어와 윙윙거렸다.

종종 회상에 젖은 얼굴로, 그가 성북동에서 살던 어린 시절 얘길 할 때면 제롬과 난 다 큰 어른이 무슨 동네 자랑을 하냐며 그저 웃긴다고만 생각했었는데…….

마감할 시간이 됐는지, 쌍둥이들이 커피머신의 받침대를 들어내 부산스럽게 닦으며 신호를 보내왔다. 어느새 열두시 십오분. 나는 쌍둥이들에게 미안하다고 말하며 자리에서 일어났다. 계산을 하려는데, 그녀는 괜찮다는데도 자기 몫을 내게 정확히 주었다. 셈을 치른 후, 나는 먼저 루카를 나왔고 뒤이어 짐을 챙겨 가게 밖으로 나온 그녀가 취한 듯 몸을 비틀거리며 손으로 허공을 휘저었다. 나는 반사적으로 그녀를 부축하려 손을 내밀었고, 그 바람에 우리 둘의 손이 스칠 듯 닿게 되었다. 짧은 순간이었다. 그녀는 고개를 세차게 흔들더니 자세를 냉정히 하고는 잠시 후 콜택시가 도착하자 손을 흔들며 차에 올랐다. 나는 그녀가 떠나는 모습을 한동안 지켜보다 집까지 걷기 시작했다.

'그래서, 사람의 일생이란 어린 시절의 상처를 평생 동안 치유해가는 과정이라고 하는지도 모르죠.'
　나는 그날에야 비로소 그의 유난한 경쟁심을 약간은 이해할 수 있을 것 같았다.

30. 실내인간

파죽지세였다.

그는 『아이들과의 전쟁』이 나온 지 불과 육 개월 만에 발표한 새 장편소설로 또다시 빅히트를 기록했다. 중년의 평범하고 늙은 뱀파이어들이 살아가는 이야기를 담은 그 책은 한 달 만에 이십만 부가 팔렸다. 누구 말마따나 머릿속에 이야기보따리라도 들어 있는지, 그는 공장에서 가래떡을 뽑듯 신작을 냈고 그러면서도 한 권이면 충분할 책을 두 권으로 쪼개 파는 상술도 여전했다. 백만 부를 넘겼을 때는 어느 특급 호텔 클럽에서 축하파티를 열었는데, 패션잡지와 연예계 쪽에서 일한다는 소영의 친구들도 몇 명 왔다. 짧고 긴 머리의, 하나같이 화사하고 생기가 넘치는 여자들…… 성공한 사업가 행세를 하며 그들과 어울리는 용휘를 보면서 제롬은 빈정거렸다.

"그래. 배 나오고 대머리 까진 늙은 뱀파이어들은 더이상 피를 구하지 못해 스스로 생을 마감해야 했지만 용휘처럼 중년에 성공을 만끽하는 사람도 있는 거지 뭐."

어쨌거나 좋은 시절이었다. 투덜투덜하면서도 녀석은 용휘와 어울리는 일을 그만두지 않았고, 일요일 모임은 어느 때보다 활기를 띠어 우린 봇물을 터뜨리듯 많은 대화를 나눴으니까. 그중 어떤 것은 잡담이었고 어떤 것은 상담이었으며(주로 나와 용휘), 또 어떤 것은 논쟁이었다(주로 제롬과 용휘). 매번 참석하진 않았지만 함께하는 일이 잦아진 소영도 자연스레 모임의 새 일원이 되었다. 우리 셋은 밤이면 용휘가 건너와 함께 〈황금어장〉을 보기도 하고, 서점도 같이 갔으며, 외출하기 싫어하는 용휘를 졸라 소영과 넷이서 수족관도 가고 그랬다. 여전히 그는 우릴 자기 집에 데려가지 않았고 실내가 아니면 그 어떤 곳도 가려 하지 않았는데, 그의 이런 행동엔 정말 유난한 구석이 있었다.

먼저 집이야 나름의 이유가 있었다.

"저긴 내 집이기도 하지만 내 주방이고 내 작업실이기도 하지. 일터란 얘기야. 근데 제롬 너 같으면 너만의 비밀이 가득한 작업 공간에 사람들을 그렇게 함부로 들일 수 있겠어?"

뭐, 그렇다고 치자. 제롬도 자기 연구실에 언제부턴가 날 데려가지 않았으니까. 문제는 바깥을 나가려 하지 않는 그의 괴상한 습성이었다.

정확히 말하면 그는 무작정 외출하길 싫어하는 게 아니라 단지 밖에 있는 걸 싫어했는데, 무슨 말인고 하니, 가령 시내 대형서점처럼 지하에 주차를 한 뒤 건물 내부를 통해 이동이 가능한 곳들은 얼마든지 갔다. 다시 말해 그가 어딜 가냐 마냐를 결정할 때 가장 크게 고려되는 것은 바로 야외에 나갈 일이 있는가 하는 것으로, 상암 CGV처럼 야외 주차장에 차를 대고 오십 미터고 백 미터고 걸어야 하는 곳은 가려들 질 않았던 것이다. 근데 그 이유가 뭔지 아는가?

바람 때문이란다.

"바람이요? 바람이 왜요?"

어느 날 제롬이, 도대체 왜 그렇게 멀쩡한 날에도 우산을 쓰고 다니시냐 물은 끝에 나온 답변이었다. 그 대답을 듣기 전까지만 해도 우린, 그가 자외선에 유난히 약한 피부를 갖고 있다거나 아무튼 뭔가 그럴듯한 이유가 있을 거라 생각했는데……. 그가 또 말했다.

머리가 헝클어지기 때문이라고.

그까짓 머리 좀 헝클어지면 어때서요?

자긴 그게 용납이 안 된단다.

모자는요? 모자를 쓰시면 되잖아요.

모자는 싫단다. 답답하고 머리가 눌려서. 두피에도 안 좋고.

그러고 보니 우리집이나 루카에 함께 있을 때 무심결에 환기를 시키려고 창문이라도 열라치면 질색하며 도로 문을 닫던 모습이 생각났다. 그의 차를 탈 때도, 운전석을 제외한 모든 창문에 아예 내리질 못하도록 항시 도어록이 걸려 있지 않던가. 도대체 왜? 바람이 뭐길래? 머리 좀 흐트러지면 어때서?

이런 그에게 제롬은 어느 날 '실내인간'이란 별명을 붙여주었다.

"실내인간? 실내에만 있으려고 해서?"

"아니."

녀석은 말했다. 그런 게 아니라, 자기가 정해놓은 틀 밖으로는 한 발자국도 나가려 하지 않기 때문이라고. 그러면서 녀석은 그에 대한 정신과적인 해석도 덧붙였다. 그는 자기가 익숙한 곳, 다시 말해 자신의 능력과 자신감이 최고로 발휘될 수 있는 공간에만 있으려 한다는 것이다. 그래서 그렇게 완벽한 자기만의 금을 그어놓고, 행여 벗어나게 되어도 우산을 쓸지언정 바깥에선 온전히 머물려 하지 않는 거라나?

"너무 과잉분석 아니냐?"

말은 그렇게 했지만 시간이 지나면서 난 어쩜 녀석의 말이 맞을지도 모른다고 생각했다. 그가 점점 더 이상해져갔기 때문에.

용휘의 성공 가도는 계속됐다. 원하는 건 뭐든 가질 수 있는 사람처럼 정말이지 내는 책마다 대박이 났다. 한데 그렇게 잘 팔리는데도 이젠 만성이 됐는지 별로 기뻐하질 않았다. 그리고 그러면서도 글은 더욱 악착같이 써댔다.

뭔가 좀 이상하다는 생각이 들었다.

왜냐하면 좀더 나중엔 기뻐하지 않는 정도가 아니라 아예 팔리면 팔릴수록 초조해하는 느낌까지 들었기 때문이다. 말이 안 되는 얘기지만 사실이었다. 그러면서도 여전히 책은 브레이크가 고장난 폭주기관차처럼 써대니 도무지 그 이유를 알 수가 없는 거라.

어쩜 용휘는 책을 많이 파는 게 목적이 아니라 그럼으로써 뭔가 이루고 싶은 다른 게 있는지도 모른다. 내가 너무 생각을 깊이 하는 걸까. 하지만 이젠 서점 밖에서조차 꼭 서점에서처럼 초조해하고 불안해하는 용휘를 보면서, 루카에서 단 둘이 빵을 나눠 먹으며 시간을 보내봐도 그에게서 전과 같은 유머와 여유를 기대하기 힘들다는 걸 느낄 때마다, 난 그렇게라도 내가 좋아하는 사람을 이해하는 수밖에 없었다. 물론 성공이 주는 단순한 허탈감이나 무력감일 거라고 생각한 적도 있었지만, 용휘는 자기가 성공했다는 사실조차 인정하려 들지 않았다.

"성공? 야, 좆도 누가 성공을 해. 내가 이룬 건 하나밖에 없어. 내 맘대로 탈 수 있는 차. 이 좆같은 차. 돈만 주면 살 수 있는 거. 이것뿐이야."

그러면서 미친 사람처럼 발로 자기 차 운전석 바닥을 쾅쾅 차는 그의 모습은 더이상 내가 알던 김용휘가 아니었다.

모르겠다. 변함없이 집과 서점만을 오가며 누구도 만나지 않고 오직 순위판에만 목을 매고 사는 그를 보면서 제롬은 그의 그런 모습이 7대 3 가르마로 고정된 채 절대로 변하지도 흐트러지지도 않는 그의 머리처럼 요상하다고 했다. 녀석은 몰라도 난 이제 그가 그러는 이유를 안다고 생각했는데, 그래서 그를 이해할 수 있다고 생각했는데, 착각이었을까? 막말로 요즘 세상에 이혼한 집 자식이 용휘만 있는 것도 아닌데, 게다가 이젠 세월도 흐를 만큼 흘러 저렇게 얻은 것도 많은데, 그에게는 어린 시절 어머니로부터 받은 상처가 도무지 어떤 성공으로도 보상이 되질 않는 것일까?

그 무렵의 용휘에 대한 기억은 하나같이 불편한 것들뿐이다.

서점에서 간혹 알아보고 존경을 표하는 독자들이 있으면 인사하고 돌아서는 사람 등뒤에 대고 노골적인 비웃음을 흘린다던가, 자기가 쓴 글들은 단지 팔아먹기 위해 만드는 제품일 뿐이라며 스스로에게 냉소를 보내는 모습이라던가, 언젠가 거듭된 실패에 지쳐 하던 제롬이 용휘의 처지를 부러워하자 자기도 인생의 단맛을 느끼는 순간이 오직 빵 먹을 때밖엔 없다면서 가당치도 않은 엄살을 부린다던가…… 하여튼 사람이 가면 갈수록 더 시니컬해지고 더 이상해져가던 어느 날, 그날도 저 먼 목동까지 가서 순찰을 돌고 왔다며 오밤중에 우리집에 찾아와서는 소파에 벌렁 누워 마치 자기 집처럼 티브이를 트는 그를 보면서, 새삼 내가 다 답답해져 나도 모르게 한소릴 뱉은 적이 있었다.

"아저씨 그렇게 사시는 거, 아, 진짜 너무 지겹고 답답하지 않으세요?"

그러고선 괜한 말을 했구나 싶어 후회하고 있는데 용휘는 태연히 대답했다.

"아니, 난 이게 좋아."

그때, 화면이 바뀌느라 암흑이 되어버린 사각의 브라운관 안에 소파에 누워 웃고 있는 용휘의 모습이 무슨 액자 속 흑백사진처럼 담겨졌다. 순간 난, 왠지 그를 거기서 꺼내주고 싶다는 생각이 들었다.

내 친구를. 그 정체 모를 사각의 틀 안에서.

31. 낙엽

모든 게 너무 순식간에 벌어진 일이라

어디서부터 어떻게 얘길 해야 좋을지 모르겠다. 용휘는 또 쉬지 않고 다음 작품에 들어갔는데 어디선가 이상한 소리가 난다면서 글을 쓰는 내내 히스테리를 부렸다. 원래 집필에 들어가면 예민해지긴 했지만 이런 적은 처음이었다.

윙윙윙윙 위이이이.

용휘한테만 들린다는 그 콘돔에서 바람 빠지는 것 같은(그의 표현이었다) 소리가 열흘이 넘게 계속되자 용휘는 견디다못해 루카로 피난을 갔다. 그런데 거기마저도 하필 맞은편에 새 카페가 들어온다고 하루종일 공사 소리에 그 조용하던 골목이 시장바닥이 되어 있었다.

"쿠어…… 돌아버리겠네……."

이해가 가질 않았다. 상황이 안 되면 좀 쉬었다 쓰면 될 텐데 그는 도무지 멈추질 못했다. 그래서 그는 또 재작년처럼, 집필을 위해 조용한 곳을 찾아 헤매야 하는 신세가 됐다. 손님이 없어 망해가는 카페, 텅 비어 있는 서울 북쪽의 어느 마을 도서관……. 조용하다는 아파트도 구해보고 남산에 있는 호텔에도 묵어봤다. 그렇지만 소리 때문에 신경이 너무나 예민해진 나머지, 이젠 평소엔 참아 넘길 수 있던 작은 소리마저도 들리는 순간 그 자리에서 용수철처럼 튀어오르며 머리를 쥐어뜯게 된 그는, 더는 그 어떤 곳에서도 편히 글을 쓸 수가 없게 되었다.

"얘들아. 나 좀 살려줘."

그 무렵 집 앞에서 우연히 만난 용휘는 스트레스로 얼굴이 벌게져가지고는 벌어진 입에선 고통으로 가쁜 숨이 새어나오는 영락없는 환자였다. 그런데도 그는 결국엔 집으로 돌아와 기어이 그 모든 소음을 참아내며 악착같이 글을 써나갔다. 다행히 우리가 집에 있는 동안엔 소리가 나지 않는다면서 서점에 순찰 가는 것도 포기하고 주로 저녁과 밤시간에 집중적으로 썼다. 문제는 그때가 가장 글이 안 되는 시간이라는 점이었지만 상관하지 않았다. 보다못한 제롬이 어떤 소리도 들리지 않는다는 특수 귀마개를 만들어 선물했지만 그걸 쓰면 오히려 안 나던 소리까지 들린다면서 채 하루도 쓰지 못했고, 스트레스를 푼답시고 1인분에 무려 삼십만 원이나 하는 식당을 가려다 말리는 제롬과 시비가 붙질 않나, 하여간 이번 책을 쓸 때는 잠잠한 날이 거의 없었다. 어쨌거나 시간은 흘렀고 용휘는 미련스러울 정도로 꾸역꾸역 쓰기를 멈추지 않은 덕에 자기 말로 육 년간의 활동기간 동안 이렇게 힘들게 써본 적은 처음이라면서도 끝내 원고를 완성하고 말았다.

　탈고하던 날. 루카에서 만난 그는 얼마나 고생을 했는지 시커먼 기미가 임산부마냥 뺨 전체를 뒤덮었고 눈은 퀭했으며 볼은 장염 걸린 사람마냥 푹 꺼져 있었다. 떨리는 손으로 간신히 빵 한쪽을 포크로 찍어 먹으며, 용휘는 이제야 쉴 수 있게 되었다고 안도했지만 그것이 일의 끝이 아니라 시작이었음을 아는 데는 그리 오랜 시간이 필요하지 않았다. 고생 끝에 나온 책인 만큼, 용휘는 이번에도 예외 없이 출간 첫 주 1위를 기대했으나 평소 방세옥에게 호의적인 태도를 보이던 파워블로거들이 약속이나 한 듯 새 책을 비난하고 나선 것이다. 기본적인 퇴고조차 되어 있지 않은 형편없는 글이라면서.

　"거지가 뜯어먹을 새끼들. 지네들이 글을 알어?"

　그 때문인지 1위는커녕 무려 8위로 스타트를 끊게 되자, 용휘는 평소처럼 서점 베스트셀러 코너 앞에 서서 온갖 욕지거리를 해댔다. 그러나 그게 끝이 아니었다. 그다음주엔 11위, 또 그다음주엔 15위, 그야말로 가을 낙엽처럼 순위가 떨어졌던 것이다. 이 전례가 없던 상황에 그는 도무지 서점 순위판 앞을 떠날 줄 몰랐고 하루종일 그 자리를 뱅뱅 돌며 마치 자기 자신에게 다짐이라도 하듯, 아니, 차라리 무슨 간절한 주문이라도 외우듯 이렇게 중얼거리길 반복하고 또 반복했다.

　"걱정 마. 삼 주 안에 틀림없이 좋아질 거야."

　"삼 주만 지나면 나는 다시……."

소영은 하필 출간 직전 한 달 동안 외국에 출장을 다녀오느라 용휘의 글을 봐줄 수 없었다. 국제전화로 통화하면서, 용휘가 이번만은 자기를 믿어보라며 자기가 알아서 최종 퇴고까지 다 하겠다고 해놓곤 안 하는 바람에 일이 이 지경이 되었다는 것이다.

"너무 지쳐서 그랬다는데……. 그래도 이 정도로 엉망일 줄은 몰랐죠. 요즘 용휘씨 페이스가 워낙 좋았으니까."

소영은 자책했지만 이미 늦은 일이었다. 이후로도 순위는, 용휘가 평소 즐겨 쓰는 표현대로라면 '초반 오픈발'도 먹히지 않은 채 사정없이 추락했다. 그는 이제 너무나 예민해져 뭐라고 위로의 말조차 건넬 수 없는 지경이 되었다. 한번은 제롬이 눈치 없이 받아들이시라, 다음 책을 잘 쓰시면 되지 않냐, 라고 속 편한 소릴 했다가 거의 벼락을 맞았을 만큼, 용휘는 그렇게 칼날처럼 날카로워져 있었다.

삼 주가 지나, 출간 육 주째. 그러니까 용휘가 순위가 올라가리라 장담하던 바로 그 주 목요일, 그 주의 판매순위가 발표되는 날이었다. 힘없이 서점을 찾아 거의 체념한 얼굴로 유령처럼 순위판 앞에 선 용휘의 핏발 선 두 눈이 순간 호두알만하게 커지는 것을 나는 보았다. 출간과 동시에 다이빙이라도 하듯 뚝뚝 떨어지던 순위가 아무 이유 없이 갑자기 열여덟 계단이나 올라 소설 부문 1위를 차지한 것이었다. "크하하하. 내가 뭐랬어. 뭐랬냐고." 그는 마치 몇 년 만에 전교 일등 자릴 되찾은 초등학생 어린아이마냥 그 자리에서 기뻐 날뛰었다.

"야…… 저 양반이 진짜 뭐가 있긴 있네. 달리 베스트셀러 작가가 아니여."

　이번 책을 쓰는 동안, 그리고 출간 이후까지 내내 까탈을 부린 용휘에게 은근히 심통이 나 있던 제롬은 그의 예언이 적중되는 모습을 눈으로 확인하곤 정말이지 책 팔아먹는 능력만큼은 인정해줄 수밖에 없다며 감탄했다.

　"그러게. 인터넷 평점도 그렇게 안 좋더니만."

　순위가 예상대로 회복되자 용휘는 만사가 풀린 사람처럼 다시 활기를 되찾았다. 찢어져라 벌어진 입은 종일 다물어질 줄을 몰랐다. 최근엔 아무리 1위를 많이 해도 그저 그런가보다 하며 심드렁해하더니 때로는 이런 자극도 약이 되는 법일까. 아무튼 이제 우릴 기다리고 있는건 그가 오랜만에 베푸는 성대한 만찬뿐. 우린 이번엔 또 뭘 얻어먹으려나, 기왕 얻어먹을 바엔 맨날 가는 데 말고 다른 데 좀 가자는 둥, 알아보니 어디가 괜찮다는 둥, 공연히 우리까지 들떠 수선을 피우고 있는데, 그랬는데, 그렇게 우리 모두를 들뜨게 했던 그 일이 글쎄 용휘가 벌인 자작극이었을 줄 누가 알았겠는가.

　출판계 사재기 관행 여전히 근절 안 돼. 종로의 한 대형서점에서 인기작가 방세옥의 신작 육백여 권이 동일인에 의해 구매된 것으로 밝혀져. 출판 당국은 다른 곳에서도 사재기 정황이 있는지 조사에 나서는 한편……

도저히 이해할 수가 없었다. 모든 게 용휘의 지나친 초조감이 부른
화근이었다.

32. 사재기

"아니에요."

"아니라니?"

"우리가 한 게 아니라고요."

루카. 소영은 몹시 날카로워져 있었다. 그녀는 긴장된 표정으로 연신 마른 입가에 물잔을 가져갔다.

"사재기는 여러 명이 분산해서 작업을 해야 하는데, 이번 일은 한 사람 짓이에요. 규모도 무척 작고요."

쉴새없이 울려대는 휴대폰을 받고 또 걸며, 그녀는 짬짬이 내게 말했다.

"그래도 사재긴 사재기니까……. 그리고 나서 자기 손으로 언론에 제보했겠죠."

"아저씨가 많이 초조해했잖아."

아…… 내가 왜 이런 말을. 순간 바삐 전화통화를 하던 그녀의 미간이 살짝 찌푸려졌다.

"소영, 미안. 난 그저……"

"달랑 오프라인 서점 한두 군데에서 순위 올리는 사재기는 아무 의미도 없어, 용우씨." 소영은 내 반응이 답답했던지 테이블 위에 놓여 있던 빈 담뱃갑을 구기며 말했다.

"그거 알아요? 용휘씨 조용한 데 찾는다고 호텔에 묵었을 때 누군가 거기까지 쫓아와서 위층에서 쿵쿵댄 거."

"진짜야?"

지친 표정으로 창밖을 내다보며 한숨짓던 소영은 또 어딘가로부터 걸려온 전화 한 통을 받고는 이번에는 아예 가방까지 챙겨 황급히 루카를 빠져나갔다.

인사도 없이, 마시던 커피값 계산하는 것도 잊은 채.

그럼 누가 아저씰 엿 먹이려고 일부러 그랬단 말인가? 도대체 왜? 뭐 때문에?

처음 보는 소영의 허둥대는 모습에, 짐작 가는 사람이 하나 떠오르긴 했지만 그때만 해도 난 설마했었다.

33. 톰과 제리

처음

제롬에게 용휘는 의문투성이의 믿지 못할 존재였다. 난데없는 사진 한 장 때문에 그가 곤경에 처하지만 않았어도, 여러 면에서 자신과 맞지 않는 이 나이 많은 아저씨와 이렇게 오래 어울리는 일은 없었을 것이다. 때문에, 나름 가까이 지내는 듯하면서도 용휘에 대한 녀석의 마음은 늘 오락가락이었다. 조금만 마음을 열려고 하면 그의 노골적인 속물근성이 여지없이 그애를 밀어냈고, 그 밖에도 자기 직업과 꿈과…… 하여튼 제롬이 중요하게 생각하는 모든 가치를 냉소하는 태도가 늘 녀석을 거슬리게 했다. 웃겼던 건, 제롬이 그런 용휘와 그럭저럭 잘 지내다가도 반감 또한 쌓여 폭발할 때쯤 되면 늘 절묘하게도 용휘는 세상으로부터 온갖 오해와 따돌림을 받는 처지가 됨으로써 다시 제롬을 자기편으로 만들곤 했다는 것이다. 그렇게 갈팡질팡하던 두 사람의 관계가 비로소 '진짜로' 가까워지기 시작한 건 아이러니하게도 언젠가 서점에서 몰래 술을 마시다 둘이 격렬하게 입씨름을 벌인 덕분이었다.

톰과 제리처럼, 원래부터 티격태격하는 게 둘의 일이긴 했지만 그날따라 용휘는 저게 정말 진심인지 의심이 갈 정도로 이상한 말들을 많이 쏟아냈고 그중 결정적으로 제롬을 자극했던 발언 – 자긴 글을 좋아서 쓴 적이 한 번도 없다는 것 – 때문에 녀석은 택시가 집 앞 길가에 도착하고 나서까지 그를 놓아주지 않았다.

"그게 말이 돼요?"

흥분한 녀석은 비틀거리는 용휘를 데리고 집으로 올라와 '하고 싶지도 않은 일을 하면서 인생을 산다는 건 자신에게 죄를 짓는 일 아니냐'며 따졌다. 그런 마음으로 쓰는 글은 거짓말일 뿐이며, 그걸 팔아먹는 일도 사기라면서. 그러자 집으로 돌아오니 거짓말처럼 술이 깨기 시작한 용휘는 용휘대로 '너의 그 교과서적이고 비현실적인 얘기들에 넌더리가 난다'면서, '세상에 하고 싶지 않은 일을 하며 살아가는 사람들이 얼마나 많은데 그럼 그 많은 사람들이 다 죄인이냐'며 맞불을 놓았던 것이다.

"너란 놈은 말이지⋯⋯."

분위기가 험악해질 게 뻔했지만 용휘는 멈추지 않았다. 그의 말인즉, 서른세 살 먹도록 발명이나 한다고 철없이 뛰어다니는 너 같은 놈을 자식이라고 뒤를 봐주는 부모님이 아니었으면 어떻게 니가 다니던 의대를 때려치우는 만용을 부릴 수 있었겠냐며 녀석을 자극했고, 그러자 제롬은 부모가 자신에게 가했던 홀대와 무관심을 뒷받침으로 표현하는 용휘의 말이 부당하다며 펄쩍 뛰었지만 용휘 말도 틀린 것은 아니었다. 미국에서 의대 교수를 하고 있는 녀석의 아버님이 그애의 형을 어느 정도 편애한 건 사실이지만 다 큰 둘째아들의 생활비를 대주고 있는 것도 맞았으니까. 때문에 그런 환경이 받쳐주는 경제적 여유가 소외감 속에서도 그애를 정신적으로 자신만만하게 만들고 선택에 겁이 없어지게 한다는 용휘의 주장은 충분히 설득력이 있었다. 나로선 생각만 했지 입 밖으로 낸다는 건 상상도 못할 말이긴 했지만.

"네 문제가 뭔지 알아? 생계에 대한 고민을 한 번도 해본 적이 없다는 거야. 그러니까 발명을 해도 쓸모없는 물건만 만들어낸다고. 왜? 쓸모라는 게 발명의 원동력인데 밥벌이에 대한 고민을 해본 적이 없으니 '필요'라는 것의 절박함을 모른다니깐?"

이제 완전히 술이 깬 용휘가 녀석의 코앞에서 선생님처럼 왔다갔다 하며 가르치듯 말하자 녀석은 참지 못하고 발끈했다.

"왜 제가 밥벌이에 대한 고민을 안 해봤다고 단정지으시죠? 내가 부모님 도움으로 살아온 것에 얼마나 죄책감을 갖고 있는데, 앞으로는 내 힘으로 살아가야 한다는 부담이 얼마나 큰데."

"그런 놈이 그 나이가 되도록 부모님한테 돈 받아서 살고 있냐?"

용휘는 들을 가치도 없다는 듯 녀석의 말을 끊었다.

"너란 놈 열라 모순적인 거 알아? 넌 여기서 용우랑 둘이 사니까 월세는 반반씩 내야 한다고 꽤나 합리적인 사람처럼 말하지만, 남의 도움 받기 싫어하는 너의 신념을 정작 남의 도움으로 해결하고 있잖아."

나는 그날, 드디어 우리 모임이 깨지든가 최소한 녀석이 앞으로 다시는 용휘를 보지 않을 거라 생각했다. 용휘는 작정한 듯 제롬의 가장 아픈 부분을 건드렸고, 녀석은 그런 말을 듣고 가만있을 놈이 결코 아니었으니까. 그러나 용휘가 돌아가고 나서 제롬은 뜻밖에도 내게 이런 말을 했다. 자기한테 저런 말을 저렇게 솔직하게 해주는 사람은 지금까지 그 누구도 없었다고. 그 누구도엔 나도 포함되어 있었기에, 그때부터 녀석은 그를 조금씩 진심으로 받아들이게 되었던 것이다.

한편 사재기 누명을 쓴 용휘는 비난이 들끓는 속에서도, 특유의 자신감을 보이고 있었다. 다시 히트작을 내고 활동만 잘하면 독자들이야 언제 그랬냐는 듯 잊어버릴 거고, 문단이야 원래 자신을 무시했으니 이제와 비판의 칼날을 들이댄다 해서 더 손해볼 것도 없다면서.

"걱정 마, 내가 다 해결할 수 있어."

그는 무엇보다 자기 글을 믿었기에 서둘러 신작에 들어갔고, 늘 하던 식으로 급히 짧은 동화를 한 편 완성해서 내봤지만 이번만큼은 무참하리만치 외면당하고 말았다.

늘 흥미만을 좇는 자극적 이야기. 끝내 독자들의 외면으로 이어져.

그러자 어떤 악재에도 자기 힘으로 이겨낼 수 있다고 애써 웃어 보이던 용휘도, 그의 존재와도 같다던 책들이 서점 진열대 구석으로 하나

둘 자리를 옮기게 되자 조금씩 얼굴에서 웃음기가 사라져갔다. 그리고 마침내, 사재기 사건의 여파로 서점에서 자신의 책이 완전히 사라지게 되었을 때, 그는 순위판 앞에서 입을 굳게 다문 채 평소처럼 욕도 하지 않고 아무 말도 하지 않았다. 그저 절대로 잃어버려선 안 될 무언가를 잃어버린 듯한 사람의 얼굴을 한 채 한참을 홀로 서 있었을 뿐.

34. 제안

"야, 저거 좀 봐라."

제롬이랑 집에서 저녁을 먹고 있는데 뉴스에서 흥미로운 기사가 나오고 있었다. 한 독지가가 한국의 노벨문학상을 만들어 달라며 자신의 전 재산 150억을 기부해 출판계에 새로운 문학상이 제정된다는 것이었다. 오억 원이라는 파격적인 상금, 시상식의 공중파 티브이 중계. 기성 작가들의 돌려먹기라는 비난을 피하고자 택한 전원 익명의 응모 방식까지 모두 전례가 없는 파격적인 내용이었다. 아나운서가 문단 한 켠에서는 천박한 상업 이벤트라며 비난의 소리도 높다고 덧붙였지만 이미 제롬에겐 그 말이 귀에 들어오지 않았다. 그리고 일요일, 모임을 하기 위해 건너온 용휘는 녀석의 제안을 듣더니 예상대로 어처구니없다는 반응을 보였다.

"나보고 거기다 응모를 하라고?"

빵은 또 얼마나 먹었는지 얼굴엔 밀가루 독 때문에 울긋불긋한 뾰루지가 잔뜩 나 있었다.

"야, 우리나라에 문학상이 몇 갠 줄 아냐. 사백 개다, 사백 개. 거기서 상 하나 받는다고 배때기에 표시라도 날 것 같아? 수지가 전혀 안 맞는 장사라고."

그러자 어제, 용휘와 똑같은 말로 반대를 하다 제롬의 설득에 마음을 돌린 소영이 용휘의 말을 자르고 들어갔다.

"꼭 그런 것만은 아니에요. 이번에 출판 불황 타개한다고 〈슈퍼스타 K〉처럼 엄청난 상금을 걸고 공중파 티브이 중계까지 하는 파격적인 이벤트를 마련했는데 아마 파장이 만만치 않을 거예요."

"지랄들 한다. 일억 약발도 삼 년을 못 갔는데 그래봤자 한 이억 하겠지. 거 알 만한 사람이 애들 말 듣고 같이 뛰고 그래."

"아이 그 정도가 아니라니깐." 소영이 답답한지 용휘에게 다섯 손가락을 쫙 펴 보이자, 그제야 그의 눈이 조금 커졌다.

"뭐, 오억? 진짜?"

"상금이 중요한 게 아니에요. 기성 작가들 것까지 포함해서 최종적으로 다섯 개 작품을 놓고 오디션 보듯 경합을 벌이는데 최종 시상식은 공중파에서 티브이로 중계를 해요. 심사위원도 황석영, 김훈, 신경숙 등 최고로 짜이고, 문학콘서트 하듯이 톱가수들이 축하 공연도 하고 수상작은 수상 즉시 영화 판권 계약, 미국·호주·영국 등 영어권 십여 개국으로 해외 출간 보장 등 유례를 찾아볼 수 없을 만큼의 파격적인 문학계의 빅이벤트라고요. 어차피 지금 상황이……"

자신 있게 말을 이어가던 소영이 아차 싶었는지 말을 툭 하고 끊었다.

"어차피 지금 뭐?"

"내 말은……" 소영이 변명하려 하자 용휘는 그녀의 해명을 듣지도 않고 소리쳤다. "그러니까…… 내가 지금 육 년 칩거생활 다 포기하고 텔레비전에 나가야 할 만큼 상황이 절망적이라는 거야?"

"아저씨, 소영이는 아저씨 도와주려고……."

"닥쳐. 그리고 누가 뽑아나준대? 그 사람들이 공정하게 심사해줄 것 같냐고."

제롬이 끼어들었으나 묵살만 당하고 용휘는 더욱 흥분해서 언성을 높였다.

"그게요, 이번 대회는 익명으로 응모가……" 나도 거들어봤지만 소용없었다.

"익명 같은 소리한다. 그런다고 누구 글인지 표가 안 나니. 다 쓸데없어. 그런 상 타봤자 꼴만 우습지." 식탁 의자에 엉덩이 끝만 대고 불안하게 걸터앉아 있던 그는 자리를 박차고 일어나더니 우리 셋 모두를 갈아버릴 듯 노려보며 말했다.

"너희들 참 이상하다. 내가 왜 그 사람들한테 상 달라고 구걸을 해야 되니? 육 년 동안 책을 열다섯 권이나 냈는데 단 한 번도 내 글을 언급조차 하지 않았던 사람들한테, 응?" 우린 아무 말도 하지 못했다.

"그렇게 철저하게 날 무시하다가 사재기 사건 터지니까 그제서야 뭐? 내가 내 글보다 많은 걸 가져갔다고? 야이…… 그럼 대체 내 글은 얼마짜린데. 얼마에 팔면 내 수준에 맞게 판 건데." 그는 흥분한 나머지 좀은 거실을 뱅뱅 돌면서 말을 이었다.

"너네, 내가 어떻게 글을 썼는지 알어? 내 얼굴에 이 밀가루 독? 이딴 건 아무것도 아냐. 난 대가리에 혹이 나고 똥구멍에서 매일 핏물이 흥건히 나오도록 글을 썼어. 목숨을 걸고 썼다고. 근데 그런 나보고, 내 글을 그렇게 무시하고 조롱하던 새끼들한테 가서 상 달라고 구걸을 하라고? 그러고도 니가 내 매니저야?"

용휘는 소파 구석에 말없이 다릴 꼬고 앉아 있는 소영을 경멸스러운 눈초리로 노려보며 말했다.

"그딴 거 다 필요 없으니까 두고봐, 씨발. 금방 다시 신작을 내서 존나리 히트를 칠 테니깐."

용휘는 예상대로 제롬의 제안을 일언지하에 거절했다. 그는 씩씩거리며 현관 쪽으로 걸어가더니 문을 열고 나가려다 말고 뒤돌아서 기어코 한마디를 더 보탰다.

"그런데 니들, 언제부터 그렇게 방세옥 일에 관심이 많았지?"

그는 그 점이 새삼스레 불쾌해죽겠다는 듯 싸늘하게 내뱉고는 현관문을 부서질 듯 쾅 닫고 밖으로 나가버렸다.

"내가 미쳤지. 괜한 말을 해서는……."

소영은 애초부터 이 제안을 용휘가 받아들이지 않을 줄 알고 있었다고 했다. 상이란 걸 원했다면 예전에 응모했을 사람이라면서.

"아냐, 소영. 내 말 좀 들어봐."

제롬은 그래도 포기하지 않고 그녀를 설득하려 애썼다.

"이건 단순히 문학상에서 상을 타고 말고 하는 문제가 아니야. 생각해봐. 만약 대상을 타기라도 하는 날엔 자기들이 공격하던 사람을 자기들 손으로 뽑은 셈이 되는 건데, 뭔가 반전이라는 생각 안 들어?"

바로 어제도 소영은 이 말에 흔들렸던 것이다. 하지만 이젠 정신을 차렸다.

"원래 문학상이라는 게 뽑아주는 패턴 같은 게 있거든요. 용휘씨 글하고는 잘 안 맞죠."

소영은 자기 스스로도 말이 안 되는 제안을 했다고 후회하는 눈치였다. 그러나 제롬이 포기하지 않고 이 말을 했을 때, 그녀의 생각은 다시 한번 바뀌고 말았다.

"원고를 훔치기라도 할 수 있다면 확 대신 응모라도 해볼 텐데."

순간 그 말을 듣는 소영의 검은 동공이 세 배는 커지는 것 같았다.

35. 소영의 이야기

어려서부터 손에서 책을 놓는 법이 없었다.

커서는 글을 쓰며 살아가리라 희망했지만 생뚱맞은 이유로 법대엘 들어갔고, 졸업이 다가오자 진로에 대한 고민으로 시름이 깊어갔다. 사시 준비를 할 생각은 물론 없었고, 전업 작가가 될 수 있다면 좋았겠지만 당장은 등단할 자신도, 글로 밥벌이를 할 수 있을 거란 확신도 없었다. 어쨌든 글을 쓰며 살아갈 수 있는 일을 하고 싶었다. 언론고시를 준비, 재수 끝에 모 중앙일간지 공채에 합격해 '일단' 기자가 되었다. 그러나 수습기간, 경찰서를 들락거릴 때부터 이미 회의가 들었다. 상상 이상으로 강했던 조직생활, 엄격한 서열문화 때문만은 아니었다. 애초 온전히 글만 쓰며 살 수 있는 일이 아니란 건 알았지만 생각보다 거리가 많이 먼 탓이었다. 마침 함께 들어온 동기 중 세 살이 위인 선배 언니는 유부남인 검사출신 모 회사 법무 담당자와 연애를 시작했다. 남자는 하루가 멀다 하고 선물을 갖다 바쳤고 선배는 세 남자와 양다리를 걸쳤다. 어지러웠다. 내가 정말 바라던 일이 이 일인가 고민하게 되었고,

결국 선배들의 만류를 무릅쓰고 방송국으로 자리를 옮겼다.

처음에는 EBS에서 작가 겸 조연출로 일하다 곧 공중파 방송국으로 옮겨 구성 작가 일을 시작했다. 그 일은 글을 원 없이 쓰게 만들었지만 소모되는 느낌도 있었다. 어떤 글이든 디제이가 한번 읽고 나면 휴지조각이 되어버렸으니까. 선배들 중엔 그런 허탈감을 견디지 못하고 직접 쓴 글들을 모아 책으로 내는 사람도 있었다. 자신은 운좋게, 대학 졸업반 때 여행기를 한 권 낸 적이 있었지만 그뒤로 한동안은 어떤 출판사로부터도 연락을 받지 못했다.

그다음 흘러들어간 곳은 잡지사였다. 한 달짜리 수명을 가진 시한부 글이라는 점에서는 방송 대본과 비슷했으나, 많은 곳을 다니고 각양각색의 사람들과 만나는 일이 즐거웠다. 편집장은 사주의 아들이었는데 그와 짧게 연애를 하긴 했지만 남보다 빨리 승진했던 것은 그 일과는 무관하다, 고 스스로는 믿었다. 낙하산이었다면 헤어지고 나서 바뀐 오너의 신임을 받는 일 같은 건 없었을 테니까. 그후로 발행인이 두 번이나 더 바뀌도록 그곳에서 이럭저럭 육 년의 세월을 보낸 끝에, 남들보다 빨리 편집장이 될 수 있었다.

잡지일도 신문기자와 마찬가지로 글을 쓰는 일은 일부일 뿐, 섭외며 기획이며 다른 업무가 더 많긴 했지만 거기엔 설명할 수 없는 특별함이 있었다. 어느 날, 자기가 만든 잡지의 사진과 그 사진 속의 인물과 풍경, 심지어 광고안을 장식하고 있는 작은 소품 하나까지 자신이 그토록

좋아하던 활자와 다르지 않게 느껴지면서, 등단의 꿈은 자연스레 멀어
져갔다. 누구도 잡지 만드는 일을 문학이라 하지 않았지만 그 일을 사
랑하게 되었던 것이다.

처음 부모님과 살던 집을 나온 것은 막 잡지사에 입사할 무렵이었다.
무남독녀 외동딸. 오랜 꿈이었던 독립을 하는 과정은 쉽지 않았지만 졸
업을 하는 순간부터 어떡하든 집을 나오고 싶어 안달을 했다. 군인이었
던 아버지는 재정적인 지원을 거부함으로써 하나밖에 없는 딸을 압박
하려 했으나, 이제 스스로의 힘으로 대출을 받을 수 있고, 얼마간의 돈
을 꿔줄 선후배 동료들도 여럿 둔 딸을 막을 방법은 없었다. 그렇게 해
서 마련한 돈을 탈탈 털어 어느 이름 모를 동네에 방 세 칸짜리 셋집
을 얻었다. 같은 서울 안인데도 이름조차 들어본 적 없던 낯선 곳. 혼
자 살기엔 조금 넓었지만 다른 곳에 비해 유난히 시세가 낮았던 그 동
네는 일자로 뻗은 골목에 꼴랑 집이 열 채밖에 없는 작은 곳이었다. 이
른 낮부터 아이들 떠드는 소리와 동네 아줌마들 깔깔거리는 소리가 끊
이지 않고, 여름이면 가슴이 훤히 들여다보이는 늘어진 난닝구를 배까
지 말아올린 할아버지들이 스스럼없이 돌아다니는 그곳에서, 늘 조심
조심 골목을 지나 서둘러 이층 자기 집으로 올라가 현관과 대문, 방문
에까지 달린 세 개의 자물쇠를 꼭꼭 잠그고 살았지만, 그래도 간섭받
지 않고 사는 기쁨은 포기할 수 없었다. 밤 아홉시만 되면 그 시끄럽던
동네가 순식간에 조용해지며 이상한 적막감이 감돌던 희한한 곳. 가끔

집에서 글을 쓰다 답답할 때면 빈 화분이 몇 개 나뒹구는 옥상에 올라가 책을 읽거나 담배를 피웠는데 어느 날부턴가 앞집 삼층에 사는 웬 음침한 남자 하나가 창문 틈으로 자신을 힐끗거리는 게 느껴졌다.

뭐야, 저 변태는.

신경이 쓰이기 시작한 여자는 다음날 골목에서 집으로 들어가는 남자를 발견하곤 득달같이 달려나가 따졌다.

저기요. 남자, 돌아보지 않는다.

아, 저기요. 남자, 그제야 마지못해 반쯤 돌아선다.

이 집 사시는 거 맞죠?

그런데? 두 번의 부름과 물음 끝에 기껏 나온 말이 반말. 여자, 발끈해서 쏘아붙인다.

왜 자꾸 남의 집을 훔쳐보시는 건데요.

다시 묵묵부답. 그리고 보니 남자는 아까부터 몸을 비스듬히 옆으로 한 채 여자의 얼굴을 쳐다보려조차 하지 않고 있다.

이봐요, 사람 말이 말같이 안 들려요? 남자의 계속된 무례에 여자는 급기야 남자를 돌려세우려 그의 팔을 힘껏 잡아당겼고, 그 바람에 남자가 들고 있던 종이 뭉치들이 그만 바닥에 우수수 떨어지고 말았다.

어머, 미안해요.

여자가 속으로 고소해하며 황급히 남자의 서류들을 주우려 하자 남자는 신경질이 한껏 밴 목소리로 제발, 자길 좀 내버려두라며 소리를 치는 것이었다.

뭐지 이 싸이코는? 지금 화낼 사람이 누군데.

그녀는 어쨌든 종이 뭉치를 주웠고, 종이 위쪽에 써 있는 이름을 보고는 다시 한번 그 남자를 올려다보게 되었다.

이 사람이?

졸업을 앞두고 진로 걱정으로 싱숭생숭한 마음에 핀란드로 무작정 여행을 다녀온 적이 있었다. 돌아와 세상 고민 다 짊어진 것처럼 써내려간 글들을 모아 별생각 없이 출판사엘 보냈는데 그만 덜컥 책을 내게 되었다. 뜻밖의 소식에 흥분도 잠시, 출판사에서는 좀더 다듬어진 글을 요구했고, 여자는 뭘 더 어떻게 만져야 할지 몰라 막막해하던 중 데뷔작을 읽고 반해버린 소설가에게 무작정 편지를 보냈었다. 그때, 뜻밖에 답장을 받고는 얼마나 기뻤던가.

"방세옥 작가님 맞죠."

남자는 대답하지 않았다. "맞잖아요. 여기 이렇게 원고가······" 그때나 지금이나 남자는 낯선 사람을 극도로 경계했다. 물론 자기가 무슨 일을 하는 사람인지도 결코 밝히려 들지 않았다. 여자는 그 소설가가 '은둔 작가'라는 사실을 기억해냈다. "아······ 기억하실지 모르겠는데 저는 『핀란드 소풍』이란 책을 썼던······" 여자는 뜻밖의 반전에 조금, 아니 많이 허둥거렸다. "제가 대학 졸업반 때 아저씨한테, 아 죄송, 작가님한테 책을 내게 됐는데 어떻게 써야 할지를 모르겠다고 편지 보낸 적이 있거든요. 기억 안 나세요? 그때 답장 주셔서 엄청 감동했었는데."

그날 이후, 여자는 골목에서 그와 마주칠 때마다 뻔질나게 달려가 인사를 했다. 혼자 멋대로 작가님이라 부르면서. 남자가 조금씩 경계를 풀기 시작한 건 여자가 두번째 책을 내게 되었다며 맹랑하게도 자기 글을 좀 봐달라고 부탁을 하면서였다. 남자는 여자가 막무가내로 건넨 뜻밖의 단정한 글을 보면서 이 말괄량이 같은 철부지 아가씨가 겉보기와는 달리 글쓰기에 훈련이 잘되어 있다는 사실을 알게 되었고, 그날 남자는 처음으로 여자에게 말을 건넸다.

"나 방세옥 아니야."

"정말요? 그럼 정말 글 쓰는 방세옥 작가가 아니란 말씀이세요?"

"방세옥이 나인 건 맞아."

"그게 무슨 말이에요."

남자는 소설가 지망생이었던 여자친구와 헤어진 뒤 글을 봐주는 사람이 없어 애를 먹고 있던 참이었다. 남자는 여자의 글을 봐주는 대가로 시험 삼아 발표되지 않은 자기 글도 조금씩 보여주기 시작했는데, 여자는 남자에게 기대 이상의 예리한 모니터를 해주었고 남자는 반색하며 여자에게 점점 더 많은 글을 보여주게 되었다. 그러다간 급기야 남자는 여자에게 심각한 얼굴로 너 나를 믿냐, 아니 내가 널 믿어도 되겠냐고 물어왔던 것이다. 여자는 순간, 자기가 좋아하는 소설가인 이 남자가 친구로서는 나쁘지 않지만 남자로서는 나이가 좀 많은 것은 아닌가 하는 생각을 했으나, 남자는 프러포즈를 한 것이 아니었다.

"내 글 좀 제대로 봐주지 않을래?"

남자는 진지한 표정으로 그렇게 말했고 그날, 여자를 광화문에 있는 어느 대형서점 푸드코트로 데려가 자신의 비밀스러운 사연이 담긴 비망록 한 권을 남몰래 보여주었다.

"난 다 읽을 때쯤 돌아올게."

수첩이라기엔 크고 노트라고 하기엔 작은 그 낡아터진 비망록에는, 자신이 어쩌다 글을 쓰게 되었는지가 팔십여 페이지에 걸쳐 연필로 빼곡히 적혀 있었다. 눈치 빠른 여자는 그중 상당 부분이 픽션임을 금방 알아챘지만, 도리어 남자에 대한 호기심이 생겨 티는 내지 않았다.

그때부터 본격적으로 맞추기 시작한 두 사람의 호흡은 환상적이었다. 그녀는 족집게 강사처럼 남자의 글을 봐주었고 여자를 신뢰하기 시작한 남자는 그녀에게 작가로서 사소한 부분까지 상의하게 되었다. 그렇게 여자는 네 권이 넘는 소설을 히트시키도록 아무도 알아보지 못한 은둔 소설가를 알아본 최초의 팬이었으며, 그후 이사를 가고 오 년간 사귀던 남자친구와 결혼을 했다가 이혼을 해서 다시 혼자가 되도록, 좋아하는 작가의 글을 봐주고 편집을 도맡고 그의 세세한 것까지 맡아 처리해주는 일만은 놓지 않았다.

시간이 흘러 여자는 국내 굴지의 잡지사 편집장이 되었고 남자는 누구도 넘볼 수 없는 베스트셀러 작가가 되었다. 두 사람은 점점 친밀해져 사적인 고민까지 나누는 사이가 되었는데, 똑 부러지는 일솜씨와는 달리 연애에서만큼은 번번이 쓴맛을 보던 여자는, 언젠가 결혼이라는 자기 인생의 가장 큰 연애가 실패로 돌아갔을 때 남자를 찾아와 말했다.

"용휘씨, 우린 절대로 사귀지 말아요."
"누가 사귄대? 그런데 왜 절대로 안 되는데?"

여자는 대답하지 않았다.
여자는 남자가 가장 먼저 글을 보여주는 사람이었고, 여자는 남자의 모든 글을 갖게 되었다.
물론, 발표되지 않은 것까지도.

36. 고라니

"근데 이 차 뭔가 좀 이상한 데로 가는 것 같지 않아?"

경부고속도로 방면. 만남의 광장을 지나 내비게이션이 이끄는 대로 삼십 분쯤 달렸을까. 제롬의 말에 밖을 내다보니 주변이 온통 암흑이었다. 새로 생긴 길인지 과속감시카메라는커녕 가로등 하나 없었고 도로에는 오직 우리 차뿐이었다. 제롬이 외제차라서, 국산 내비가 아니라서 길을 잘 모르는가보고 낄낄거렸다. 해를 넘겨 4월. 용휘는 자신의 책이 사라져버린 서점에 더이상 가지 않는 대신 돌연 새 차를 뽑는 일에만 몰두하고 있었다. 그날도, 지난달에 뽑은 BMW의 비닐도 아직 벗겨내지 않았으면서 또 새 차를 뽑았다며 우릴 불러낸 참이었다. 하얀색 벤츠 CLS350. 시내에 굴러다니는 웬만한 다른 벤츠나 BMW 보급형보다 오천만 원이나 더 비싼 300마력이 넘는 고가의 차. 그런데 새 차보다도 더 놀라웠던 건 용휘의 말이었다.

"신사동 가서 소영이 태우고 속초나 다녀오자. 괜찮지?"

그 말에 제롬과 나는 동시에 눈을 마주쳤다. 용휘가 자기 입으로 서울을 벗어나자고 한 건 그때가 처음이기 때문이었다.

"다들 잘 있었어요?"

가로수길 초입에서 환한 얼굴로 차에 오른 소영은 무슨 좋은 일이라도 있는지 그날따라 얼굴이 유난히 붉었고, 속초 가서 먹자면서 페스트리가 들어 있다는 흰 상자 하나를 손에 들고 있었다.

"지금 먹으면 안 돼?"

용휘가, 그날 만나서 들은 것 중 가장 크고 밝은 목소리로 졸라댔지만 소영은 단호했다.

"안 돼요. 바닷가 가서 먹어요."

"오케이."

그는 그제야 좀 흥이 나는지 정말로 빨리 빵을 먹고 싶어서 그러는 사람처럼 속력을 높여 양재동 고속도로 방면으로 내달렸다.

그리고 들어선 이름 모를 어두컴컴한 도로 위. 용휘는 모처럼 감행한 서울 바깥 나들이에 흥분했던지 평소보다 조금 빠른 속도로 달렸고, 소영은 자기가 좋아하는 방송이 있다면서 라디오를 틀었다. 93.9MHz CBS의 〈꿈과 음악 사이에〉라는 프로였다. 그 프로에서는 주로 8~90년대의 옛날 가요가 많이 나왔기 때문에, 우리는 아는 노래가 나올 때마다 박수를 치고 목청껏 따라 부르며 차가 한 대도 없는 도로를 신나게 달렸다.

"빙빙빙 맴돌다 떠난 님 잊혀져간 그 빗속으로~"

질주하는 차 안에서, 넷이서 웃고 떠들며 노래하고 있자니 이런 좋은 순간도 꽤나 오랜만이라는 생각이 들었다. 가로등 하나 없이 칠흑처럼 어두운 낯선 국도를 달린 지도 어느새 한 시간. 유재하의 〈그대 내 품에〉가 나올 무렵이었다.

차가 코너를 도는데 갑자기 전방에 고라니 한 마리가 나타났다. 거리는 불과 약 사십 미터 정도. 녀석은 우적우적 뭔가를 씹으며 호두알만한 검은 눈으로 천연덕스럽게 우리를 바라보았지만, 코너 길인데다가 백삼십 킬로 이상으로 달리고 있었기 때문에 도저히 손을 쓸 수 없는 상황이었다. 용휘는 반사적으로 녀석을 피해 오른쪽으로 급 차선 변경을 시도했지만 고라니는 불빛을 따라 몸을 틀었고 차는 그대로 녀석을 받아버리고 말았다.

"으아아악!"

위로 날아가는 모습을 보지 못했으니 아마도 밑으로 빨려들어갔을 것이다. 다리라도 끼었는지 차 밑에서 끼기기긱 하며 소름끼치는 소리가 났다. 이마의 혈관이 터질 듯 곤두선 용휘는 충돌 이후에도 정신 나간 사람처럼 계속 달렸는데, 아마 밑에 낀 뭔가를 어떻게든 떨쳐내려고 하는 것 같았다. 그렇게 일 킬로는 더 달렸을까, 더이상 소리가 나지 않자 용휘는 겨우 갓길에 차를 멈춰 세웠다. 아무도 어떤 말도 하지 않았고, 아무 소리도 들리지 않았다. 조수석에 앉아 있던 소영은 손으로 입을 가린 채 새파랗게 질려 있었고 여전히 꼭 쥐고 놓지 않은 핸들에 고개를 처박고선 가쁜 숨을 몰아쉬고 있는 용휘의 두 손은 덜덜덜 떨리고 있었다. 잠시 뒤, 우리가 달리던 바로 옆 도로에서 적막을 깨며 차 한 대가 붕 하고 지나갔다. 차량 통행이 드문 도로여서 그렇지 만약 저 차가 바로 뒤에서 따라오고 있었다면 우린 죽을 수도 있는 상황이었다.

정신이 조금 들었는지 용휘가 다시 시동을 켜고 액셀을 밟았다. 차가 마른기침을 하며 달리기 시작했다. 다행히 소름끼치던 소리는 다시 나지 않았지만 앞쪽 파킹 센서의 고장으로 속도를 늦출 때마다 '삐─' 하는 소리가 나서 용휘는 어쩔 수 없이 또 속력을 높일 수밖에 없었다. 그는 마치 백 킬로미터 이하로 속력이 떨어지면 터지는 폭탄이라도 싣고 달리는 사람처럼, 범퍼가 우그러진 새 차를 몰고 그렇게 속초로 내달려야 했다.

소영이 차에 남아 끝내 울음을 터뜨리기 시작한 건 속초해수욕장 주차장에 차를 대고 남자 셋이 내리고 난 다음이었다. 나는 얼결에 고라니와 충돌했을 때 뒷자리로 튕겨져 온 흰 상자를 들고 내리다가 느낌이 걸죽해서 열어보니 빵이 아니라 케이크가 들어 있었다.

페스트리라더니?

그건 생일 같은 특별한 날에만 먹는, 용휘가 제일 좋아하는 폴앤폴리나 시폰케이크였다. 케이크는 뭉개져 곤죽이 되어 있었다.

'최악이다⋯⋯.'

우리는 애써 다른 이야기를 나누며 백사장 위를 거닐었지만 속으로는 다들 어서 서울로 돌아가고 싶은 마음뿐이었다. 4월의 늦은 밤. 속초의 바다 풍경은 물과 하늘이 구분 없이 까맸고 밤바다치고는 바람이 거의 불지 않았다. 용휘는 좀 전의 충격을 애써 누르려는 듯 한 손에 우산을 틀어쥐고선 천천히 백사장을 걸었다. 그의 처진 어깨가 진짜 되는 일이라곤 없다며 한숨이라도 쉬는 것 같았다. 그가 먼바다에 홀로 떠 있는 부표를 바라보며 모래사장 위에 넋을 놓고 서 있는데, 이윽고 차에서 내린 소영이 모래를 밟으며 천천히 그에게로 다가갔다. 얼굴은 공포로 일그러져 말이 아니었지만 용휘에게 뭔가 말할 게 있는 눈치였다. 난 곤죽이 되어버린 케이크를 쓰레기통에 버리며 새하얀 크림을 손에 묻혀 빨아먹었다. 그런데 소영이 뭐라고 말을 건네자 용휘의 얼굴이 기괴하게 일그러지며 얼어붙는 것이 아닌가. 왜 저러지? 갑자기 용휘가 소영의 팔을 허리가 다 휘청거릴 정도로 난폭하게 잡아끌며 바닷가 쪽으로 데려갔다.

"뭐야. 왜 저래?"

나는 반사적으로 용휘를 말리려는 제롬을 일단 붙잡고는 조심스럽게 거리를 유지하며 두 사람을 따라갔다.

"왜 그랬어?"

밀려들어오는 파도가 발에 닿을 듯한 곳에 서서 용휘는 물었다.

"왜 그랬냐고 왜!"

용휘가 대답 없는 소영의 두 어깨를 잡고 거칠게 흔들자 맥없이 고개를 아래로 떨군 소영은 그제서야 겨우 입을 열었다.

"달리 방법이 없었잖아요. 그렇게라도 하지 않으면……."

"그렇게 하지 않으면 뭐?"

흥분한 용휘가 말을 끊으며 대답을 재촉하자 소영은 어쩔 수 없다는 듯 가는 한숨을 쉬었다.

"다시는 글을 못 쓸 수도 있었어요."

"뭐…… 라고?" 순간, 주름진 용휘의 얼굴이 괴물처럼 구겨졌다. "도대체 무슨 헛소리를 하는 거야. 내가 다 회복시켜놓을 수 있는데 니가 왜……."

용휘는 터져나오는 화를 도저히 참을 수가 없었던지 이를 악물며 신음하듯 내뱉었다.

"다 중단시키고 원고 찾아와. 지금 당장."

처음 보는 용휘의 모습에 우리는 어찌할 바를 모른 채 그저 그 두 사람을 멍하니 지켜보고 서 있었다. 그런데 그때, 소영이 또 뭐라고 대꾸하자 갑자기 용휘가 소영에게 거의 날아가다시피 하더니 있는 힘껏 따귀를 날리는 게 아닌가. 우린 너무나 놀라 그대로 달려가 용휘를 덮쳤다.

"아저씨, 왜 이러세요."

제롬이 용휘가 팔을 쓰지 못하도록 뒤에서 당겨 결박하듯 껴안고 나는 앞에서 그를 막아섰다. 소영은 충격으로 그 자리에 주저앉아 맞은 뺨을 어루만지며 어쩔 줄 몰라했고, 용휘는 그래도 분이 안 풀리는지 여전히 그녀에게 다가가려 격렬하게 몸부림쳤다.

"당장 가서 찾아오라니까? 이 개 같은 년아. 어서 내 눈앞에서 꺼지라고."

"아저씨. 진짜 왜 그래요……."

있는 힘을 다해 두 팔로 용휘를 안고 있던 제롬이 울음 섞인 소리로 중얼거렸다. 모래사장에 쓰러진 채 애처롭게 몸을 떨던 소영은 그런 용휘를 경멸에 찬 표정으로 노려보며 악을 썼다.

"알았어. 꺼져줄게. 나는 갈 테니까 당신은 그러고 살아. 영원히."

그러자 용휘가 또 자제력을 잃더니 미친듯이 몸을 뒤틀며 소영에게 다가가려 해 우린 앞뒤로 그를 에워싼 채 필사적으로 말려야 했다. 잠시 후, 자리에서 일어난 소영이 시야에서 사라지고 나서야 그는 "알았어. 알았으니까 이거 놔봐" 하면서 제롬의 팔을 난폭하게 뿌리치고는 백사장 끝 쪽을 향해 걸어갔다.

"왜 그랬어. 씨발. 도대체 왜."

용휘의 절규가 파도에 묻혀 흩어졌다.

37. 거부

상황은 이랬다.

소영은 자기가 갖고 있던 용휘의 미발표 원고를 몰래 자기 이름으로 문학상에 응모했다가 덜컥 대상에 선정되고 말았다. 하지만 무슨 이유에선지 용휘가 상을 거부하면서 일이 꼬이고 만 것이다. 이에 소영은 서둘러 주최측에 원고의 실제 저자를 밝히는 동시에 당사자의 수상 거부 소식을 알렸고, 시상식이 불과 열흘도 남지 않은 문학상측은 그야말로 비상이 걸렸다.

'아니 그만한 사람이 뭐하려고 이런 상에 응모를 하나 그래.'

그러나 상의 권위를 위해 기성 작가들의 참가를 독려한 건 자신들이었고 어쨌거나 시간이 없는 만큼 서둘러 수습을 해야 했지만, 그게 여의치가 않았다. 수상 거부 의사를 받아들여 차점자에게 대상을 주자니 여덟 명 중 여섯 명이 압도적으로 뽑은 일등 수상작을 두고 차점자에게 대상을 주는 것도 그렇고, 그렇다고 대상자가 없다며 우리 문학에 그만한 수준작이 없다고 이 중요한 상의 첫 회부터 스스로 인정하는 것도 영 모양이 살질 않았던 것이다. 할 수만 있다면 내심 수상 거부가 아니라 확 취소라도 해버리고 싶은 마음들이었지만, 이미 기자들은 물론 출판계에 그의 수상 소식이 파다하게 퍼진 터라 섣불리 그럴 수도 없었다.

은석이가 전해준 소문에 의하면 문학상측에서는 용휘의 수상 거부를 도저히 이해할 수 없는 행동으로 여겼다고 한다. 당시 방세옥이 처한 상황으로 보아 지금 이 상을 받는 게 그로서도 절대 유리한 일일 텐데 왜 받질 않겠다는 건지 알 수가 없다는 것이다.

평론가 김치국은 '이 씨발 근본도 없는 얼치기 작가 새끼 하나 때문에 문단의 뜻깊은 프로젝트가 엉망진창이 돼버리게 생겼구나'라고까지 말했다던가.

일이 이렇게 되기 전까지만 해도 상의 출발은 누가 봐도 성공적이었다. 불황 속에 유치한 150억이라는 막대한 자금, 기성 작가들끼리의 돌려먹기라는 고질적 비판에서 탈피하기 위해 택한 전원 익명의 응모 방식이 불러온 신선한 파장, 유명 작가들을 끌어들이기 위해 내건 오억이라는 거액의 상금에 집중된 뜨거운 관심, 거기에 때마침 곽소영이라는 무명의 신데렐라가 나타나준 것까지, 거기까진 정말 더할 나위 없이 좋았다. 그 빌어먹을 방세옥이 나타나 이렇게 잔칫상에 똥물을 뿌리기 전까진 말이다.

그런 문학상측에 반전의 계기가 될 작은 선물이 날아든 것은 시상식이 꼭 일주일 남은 시점이었다.

38. 가짜 권순원의 꿈

아니 저 사람은?

집으로 들어가는 길이었다. 소영이 용휘 문제로 너무 상심해해 전날 새벽까지 고주망태가 되도록 함께 있어주는 바람에 난 여태 숙취가 가시지 않은 상태였다. 속이 칼칼해 집 앞 편의점에서 음료수라도 사 마시려는데 그 앞 전봇대 기둥 뒤에서 어깨가 로봇처럼 떡 벌어진 웬 남자가 숨듯이 서 있었다.

"당신 뭐야. 왜 또 여길 기웃거리고 있어?"

나는 보자마자 달려가 그자의 멱살을 잡았다. 사내는 켁켁거리며 기침을 했지만 저항을 하지는 않았다. 나는 그가 마음만 먹으면 내 팔을 뿌리칠 수 있다는 걸 알았지만 그는 그저 할 얘기가 있다고만 했다. 근처를 지나던 사람들이 우리 때문에 놀라 흩어졌다.

"얘기를 하자는 사람이 그런 짓을 했나? 사재기한 것도 당신이지?"

그는 한숨을 쉬며 그렇다고 했다. 길거리에서 남의 멱살을 계속 잡고 있을 수도 없어 일단 팔을 풀었다. 그러면서 무슨 낯짝으로 여길 찾아왔냐고 하니, 그는 그래도 꼭 할 얘기가 있다며 제발 자기 얘기를 좀 들어달라고 애원을 하는 것이었다.

"나 당신이랑 할말 없거든."

그런데도 또다시 그자의 꼬임에 넘어갔던 건, 고개를 숙인 채 옹색한 모습으로 애원하는 그가 처량맞아 보였기 때문은 아니었다. 단지 그가 작은 소리로 내게 이렇게 속삭인 탓이었을 뿐.

"그분이 왜 상을 거부하는지 궁금하지 않으세요?"

나는 그를 앞세우고 언젠가 간 적이 있던 집 근처 동네 카페로 향했다. 말이 근처지 백 미터나 떨어져 있는 곳이었기 때문에 내내 함께 걷는 길이 유쾌하지는 않았다. 변함없이 회녹색의 낡은 야상을 걸친 그는 두껍고 흰 다리로 조곤조곤 앞으로 걸어갔다. "그쪽으로 들어가세요." 그가 카페 앞에서 머뭇거리자 그를 먼저 들어가게 하고는 나도 따라 들어갔다. 이 집은 예전에 막 이사를 왔을 때 딱 한 번 왔다가 음악 소리가 하도 커서 바로 나왔던 곳이다. 그때는 싸구려 댄스뮤직이 귀청을 찢을 듯했는데 오늘은 뜬금없이 잔잔한 클래식이라니. 주인이 바뀌었든가 정체성 없이 중구난방으로 음악을 트는 가게임에 틀림없었다. 나는 격앙된 표정을 풀지 않은 채 창가 쪽 구석자리에 그와 마주앉았다. 키에 비해 비정상적으로 넓은 어깨며, 쓸쓸해 보이기도 하고 웃기게도 생긴 눈코입이며 변한 게 없는 모습. 어쩌다 또 여기까지 따라오긴 했지만 오늘은 이자가 무슨 말을 하든 흔들리지 않으리라.

"딱 십오 분 드리죠. 십오 분이 지나면 무조건 일어서서 집에 갈 거예요."

나의 엄포에도 아랑곳없이 그는 저자세로 매달리던 좀 전과는 사뭇 다른 태도로 천천히 주문한 커피를 한 모금 마시더니 무슨 배짱인지 느긋하게 말을 하기 시작했다.

"혹시 『한국의 글쟁이들』이라는 책을 읽어보셨습니까?"

"아뇨. 저 책 별로 안 읽어요."

"그럼 꿈은 있으셨습니까?"

"그냥 말씀을 하세요. 저 지금 댁하고 꿈 얘기 같은 거 할 기분 아니니까." 내가 쏘아붙이자 그는 또 금세 풀죽은 얼굴이 되어서는 말했다.

"죄송합니다. 방금 전에 말씀드린 그 책들을 보시면······ 인문학이면 인문학, 건축이면 건축, 미술이면 미술······ 대한민국에서 저술을 하면서 먹고 살아가고 있는 사람들의 이야기가 나옵니다. 그런데 그 숫자가 몇이나 되는지 아십니까. 분야별로 고작 한두 명입니다. 열 명도 아닌 한 명. 스무 명도 아닌 두 명······." 그는 자신의 두꺼운 손가락을 일일이 펴 보이며 중얼거리더니 다시 커피를 한 모금 마셨다. "그러니까 제 말은 세상에 글을 써서 먹고살고 싶어하는 수많은 사람들이 있는데 그들이 아무리 열심히 살아도, 정말로 꿈을 이룰 수 있는 사람은 애초부터 단 몇 명에 불과하다는 겁니다. 나머지 사람들은 필연적으로 꿈을 이룰 수 없게 처음부터 정해져 있다는 거죠."

어쩌라고. 세상이 원래 그런 건데. 그러거나 말거나 시간은 이미 사분을 지나고 있었다.

"그렇다면 최선을 다하면 꿈은 이루어진다, 라는 말은 애초부터 거짓이요, 사기가 될 수밖엔 없는 것 아닐까요? 처음부터 그런 줄 알았으면 전 차라리 꿈이 없는 사람이면 좋았을 뻔했는데 말입니다."

꿈이 없는 사람이라면 난데.

난 빈 커피잔의 테두리를 손으로 쓰다듬으면서 그런 생각을 했다. 한 번도 뭐가 간절히 되고 싶다거나, 어떤 열정 같은 걸 가져본 적 없었다. 늘 주어진 인생에 그냥 만족하고 살았으니까. 그가 말을 이었다.

"저는 어렸을 때부터 지독한 독서광이었습니다. 조부님께서는 그 시대에 드물게 일본에서 대학을 다니셨고 부친께서는 중학교에서 국어를 가르치셨죠. 그런 환경 속에서 자연스럽게 책을 가까이하게 된 거예요." 그가 어깨를 한번 으쓱해 보였다. "제가 어렸을 때만 해도 책벌레라는 별명은 훈장처럼 영예로운 칭호였습니다. 걸리버 여행기, 어린 왕자, 십오 소년 표류기, 로빈슨 크루소의 모험, 보물섬, 백경……. 한시도 손에서 책을 놓지 않았죠. 심지어 시험을 볼 때도 얼른 책이 보고 싶어서 남들보다 답안지를 일찍 제출할 정도였으니까요. 책만 좀 덜 읽었어도 충분히 서울대에 갈 수 있었는데……." 그는 아쉬운 듯 빵처럼 부풀어오른 손으로 테이블을 살짝 내리쳤다. "대학은 당연히 문창과를 가려고 했습니다. 그런데 등단한 사촌형님이 진짜 문학을 하려면 영문과에 가라더군요. 그래서 형님의 말을 따라 모 대학 영문과에 차석으로 입학했죠. 그뒤로는 줄곧 한눈팔지 않고 오로지 문학가가 되기 위한 길을 걸었어요. 문학이 뭐라고 생각하십니까. 돕니다, 도. 문학이란 삶을 구도의 자세로 살아야 겨우 몇 자를 쓸 수 있는 고귀한 것이라는 얘기예요."

그는 갈증이 나는지 물을 한 모금 마시더니 누렇게 변색된 손수건을 꺼내 바둑이같이 네모난 얼굴을 훔쳤다. 칠 분이 흘렀지만 팔에 둘린 싸구려 시계는 결코 보려들지 않았다.

"학교 다닐 때 저는 그 흔한 연애 한번 해보지 않았습니다. 대신 늘 고전을 읽으면서 마음을 깨끗이 하고 양질의 영화를 엄선해 보면서 간접경험을 쌓기 위해 노력했죠. 이틀에 한 권씩은 반드시 책을 읽고, 매주 시와 소설을 번갈아 습작하면서 성실하게 글솜씨를 다듬어갔어요. 늘, 제가 접한 책과 영화와 연극들을 날짜에 맞춰 기록하고 제목과 소감을 적어두는 일을 거르지 않았죠. 그렇게 쌓인 대학 노트가 서른 권도 넘습니다."

팔 분.

"그렇게 개미처럼 열심히 읽고, 쓰고, 보고, 듣다보면 서른 살이 되었을 때쯤 작가가 될 수 있으리라 생각했습니다. 저녁에는 아르바이트로 택시를 몰고 일을 마치면 야학에 나가 형편이 어려운 아이들에게 시도 가르쳤죠. 문학이란 게 어차피 세상에 대한 봉사이기도 하니까. 삼학년 때 군에 다녀와 복학을 해서는 늦었지만 교내 문학동아리에 가입해 회원들과 교우하면서 사회성도 길렀어요. 그 모든 것들이 내 문학의 자양분이 되어주리라 믿었으니까요. 그렇게 작가가 되기 위한 길을 치밀하게 준비하다 마침내 이천 권이 넘는 책을 읽었을 때쯤, 신춘문예에 응모했습니다. 최종심에 한번 못 올라보고 번번이 떨어졌지만 실망하지 않았죠. 제 사촌형님도 몇 번이나 낙방을 했고. 뭐 당연한 과정이었으니까. 그렇게 준비하고 응모하길 거듭하면서 어느덧 제 나이 서른여덟이 된 겁니다."

십일 분. 이제 사 분만 참으면 된다.

"여름이면 엉덩이에서 진물이 나올 때까지 앉아서 책을 읽고 글을 썼습니다. 그게 내 삶의 전부였죠. 이미 여덟 번이나 떨어졌지만 포기하지 않고 도전했어요. 끝내 지방의 한 작은 신문사에서 주최한 문예공모에서 기적적으로 가작에 입선해 등단했을 때…… 그때의 제 심정은……." 그는 쑥스러운 듯 어린아이 같은 미소를 지어 보였다.

"그해 가을. 지금도 기억납니다. 11월 18일. 목요일. 그분과 같은 날이었죠. 고대하던 저의 첫 책이 나왔어요. 『폐허』라는 제목의 180페이지짜리 얇은 소설집이었죠. 뿌연 코발트색 바탕에 오른쪽 하단에는 조개가 세 개 그려져 있고 왼편 중간엔 커다란 나무 사진이 박혀 있는 소박한 표지의 책이었어요. 책을 펼치면 뒷면에도 데칼코마니처럼 똑같은 사진이 있었습니다. 조개 세 개. 나무 하나. 깔끔했죠. 대칭이 딱 들어맞았어요." 그는 도취된 듯 어깨를 한번 으쓱해 보이더니 마침 자리를 지나던 종업원에게 새로 커피를 주문했다. 이미 리필을 한 번 받은 뒤였다. 나는 그의 설명을 들으며 어릴 적 보던 자연도감이나 과학책을 떠올리고 있었다. 그가 꿈을 꾸는 듯한 표정으로 계속 말했다. "제 책은 문체가 좀 투박하긴 했어도 지역 비평가들에게 좋은 말도 듣고 했던 작품이었습니다. 의도적으로 그렇게 쓴 측면도 있었고……. 그런데 동네 서점 진열대에 한 일주일인가 누워 있던 책이 금세 옆 발치에 있는 책꽂이로 옮겨지더군요. 그래도 실망하진 않았어요. 대부분의 책들이 그런 운명을 겪게 되니까요. 단지 의아했던 건 희한하게도 같은 날 나왔던 생전 처음 들어보는 어떤 작가의 책은, 꼭 일주일 뒤부터 난리가 나더라는 겁니다. 제 책이 진열대에서, 아니 세상에서 사라지던 바로 그날부터 말이지요."

십오 분을 지나고 있었지만 난 일어서지 않았다. 그는 여전히 결연한 표정으로 말을 이어나갔다.

"그게 바로 방세옥 작가의 『세계 최고가 아니면 견딜 수 없는 사나이』였습니다. 분명 대단한 이력의 소유자거나 엄청난 홍보를 하고 있을 것이라 생각했죠. 그런데 아무리 책을 들춰봐도 경력이 없더군요. 보통 어디서 태어났고 어느 학교를 나왔고 어디서 등단했고 무슨 책을 썼는지 수상경력은 어떤지 줄줄이 늘어놔야 정상인데, 이 사람은 그냥 방.세.옥. 달랑 이름 석 자뿐이었어요. 출생년도조차 없었죠."

가게에 손님들이 하나둘 늘어나기 시작했다. 어찌나 땀을 많이 흘리는지 그는 실내에 에어컨이 틀어져 있는데도 낡은 셔츠의 가슴께가 반원형으로 흥건히 젖어 있었다.

"정말 기이한 인연이었어요. 꼭 일 년 뒤 두번째 책도 거의 비슷한 시기에 나왔으니까요. 하지만 이번에도 결과는, 아니 오히려 더 벌어졌죠.

심혈을 기울여 쓴 제 책은 아예 서점에 진열조차 되지 않았고 책 한 권 안 읽고 썼다는 그 사람의 책은 전보다 더 열렬히 환영받았으니까. 그래도 처음엔 그렇게까지 반감은 없었습니다. 오히려 그분이 얼굴 없는 은둔 작가의 행세를 한다는 것을 알고는 반갑기까지 했는걸요. 아시죠? 『호밀밭의 파수꾼』. 그 책을 쓴 존경하는 데이비드 샐린저도 신분을 숨긴 채 평생을 세상과 단절된 삶을 살지 않았습니까." 그는 그 정도는 너도 알지 않느냐는 듯한 눈빛으로 나를 힐끗 쳐다보았다.

"그러던 어느 날 호기심에 그분의 책을 사다가 읽어보았죠. 그냥 어떻게 쓰나 보려던 것뿐이었어요. 한데 뭔가 좀 이상하더군요." 그는 말을 하다 말고 들고 온 가방에서 갑자기 주섬주섬 책 두 권을 찾아 꺼내들더니 내게 건넸다. 한 권은 용휘의 책이었고 한 권은 접힌 부분 바깥으로 얼핏 조개와 나무가 보였다. "여기 좀 보세요. 여기랑 또 여기."

나는 그가 건네준 책을 받아들었다. 포스트잇이 붙어 있는 페이지들을 펼쳐보니 군데군데 형광펜으로 밑줄이 그어져 있었고 그 밑으로 육필로 쓴 주석이 달려 있었다. 뭐 비슷하다는 얘길 하려는 건가? 용휘의 책 내용은 대충 알고 있었으므로 건너뛰고 권의 것을 유심히 보았다. 어? 그러고 보니 내가 봐도 조금, 아니…… 이건 상당히 비슷한데? 하지만 난 애써 태연한 척하며 말했다.

"좀 비슷하긴 한데 뭐 이것만 가지고……"

"그렇죠. 아직 놀라실 정도는 아니죠."

'아직이라고?'

그러더니 그는 가방에서 다른 얇은 책 한 권을 꺼내 내게 내밀었다. 이번 책은 표시된 부분이 따로 없었다. 내가 의아해하자 그는 표지를 보라는 듯 팔을 뻗어 자기 방향으로 놓여 있던 책을 내 앞으로 돌려놓았다.

『누가 꽃밭을 만들어놓았나』, 권순원.

"아니 이게……" 내가 당황해서 말을 잇지 못하자 그가 말했다.
"보통 이런 식이죠. 그 사람 하는 짓이."
나는 아무 말도 할 수 없었다.
용휘의 이번 문학상 응모작 제목이 『누가 꽃밭을 흔들어놓았나』였기 때문이었다.

39. 폐허

이게 어떻게 된 거지?

아까 본 것도 그렇고 우연이 이런 식으로 계속될 수는 없어. 하지만 용휘가 뭣 땜에……. 점점 커져가는 사람들의 말소리로 카페 안은 조금씩 소란스러워지고 있었다. 나는 어떻게든 속마음을 내색하지 않으려 애썼지만 당황한 기색은 감추기 어려웠다.

"그래서, 나를 보자고 한 이유가 이겁니까. 이걸 보여주려고?" 나는 어쩐지 명분 없는 불쾌함을 담아 그에게 말했다.

"실은 원고가 필요합니다."

"원고요?"

"처음엔 이상했죠. 이렇게 노골적으로 제목까지 베껴놓고는 왜 그대로 응모했다가 이제 와서 상을 거부하는 건지 이해할 수 없었어요. 알고 보니 매니저가 본인 몰래 응모를 한 거더군요. 그러니 얼마나 놀랐겠습니까."

그가 통쾌함인지 비웃음인지 모를 기괴한 표정으로 웃어대자 등에 소름이 끼쳤다.

"보시다시피 다른 책들은 다 확인을 했는데 이번 책만 못 했죠. 상금 오억 원짜리 문학상을 탈 작품에서 내 글이 얼마나 역할을 했는지 제 눈으로 직접 확인하고 싶은 겁니다."

"왜, 왜 시키지도 않은 짓을 해."

바닷가에서 소영을 붙잡고 고래고래 소리를 지르던 용휘의 모습이 떠올랐다. 그때의 그 당황하던 모습. 절대로 들켜선 안 될 것을 들키기라도 한 것처럼 어쩔 줄 몰라 하고 화를 내던 모습. 생각에 잠긴 내 모습을 본 권은 어느새 또 태도를 바꿔 이젠 내게 거의 애원조로 매달리고 있었다.

"도와주십쇼. 한 사람의 인생이 걸린 문젭니다."

"아니 전······."

간절한 얼굴로 내 대답을 기다리고 있는 한 남자를 바라본다. 덩치에 어울리지 않는 올망졸망한 눈코입에 앙다문 입술. 용휘의 비밀을 까발리던 좀 전의 득의만만하던 기세는 사라지고, 마치 같은 반 일진한테 삥이라도 뜯긴 아이처럼 분노와 억울함이 뒤섞인 표정으로, 그는 나를 보고 있다. 그동안 이자의 그 모든 이해할 수 없는 행동과 용휘에 대한 공격이, 그저 자기 것을 지키기 위한 한 사람의 몸부림에 불과했다니 문득 안됐다는 생각도 들었다. 하지만 그렇다고 해서 내가 해줄 수 있는 일이 뭐가 있을까. 나는 그에게 정히 그렇다면 문학상 측에 직접 원고를 요구해보는 건 어떻겠느냐고 말했다. 그러나 그는 아무도 믿지 못하겠다는 얼굴로 이렇게 답할 뿐이었다.

"이 중요한 상의 초대 수상작이 표절작이라는 게 밝혀지면 과연 그 사람들이라고 좋아할까요?"

담합이 있을지도 모른다는 얘기일까? 하긴, 우리나 용휘를 문단의 아웃사이더로 생각하지 그 또한 수많은 책을 팔아대는 엄연한 세상의 기득권자일 테니…….

쿵 쿵 쿵 쿵.

저녁 아홉시가 넘어가자 커피숍은 한층 더 소란스러워지기 시작했고 음악은 어느 틈엔가 클래식에서 비트가 잔잔한 테크노뮤직으로 바뀌며 서서히 강렬해지고 있었다. 그는 여전히 내 대답을 기다리느라 물과 커피를 번갈아가며 초조히 들이켰다. 빈 커피잔에서 삑 삑 하고 소리가 났다.

"누구든 처음 책이 나오게 되면 서점에 가서 자기 책이 서가에 놓여 있는 장면을 실제로 보고 싶어하기 마련이죠. 그리고 나면 이제 옆에 놓여 있는 책들도 한 권 두 권 들춰보게 되는 겁니다. 자연스럽게, 은근한 경쟁심도 느끼면서. 그렇게 저의 존재를 알게 됐겠죠." 그는 마치 자기가 그 모든 과정을 실제 보기라도 한 것처럼 고개를 끄덕이며 말했다.

"그분이 내 책을 백 퍼센트 베껴서 순전히 그걸로만 작품을 채웠다고는 나도 생각하지 않습니다. 그렇지만 결정적인 부분이 막힐 때마다 내 책을 찾았겠죠. 선수들끼리는 알 수 있어요. 추리소설을 쓰는 사람이 남의 작품을 읽으면 작가가 독자 몰래 짜둔 얼개들이 다 보이는 것처럼, 저도 그분이 내 책의 어느 부분을 어떻게 가공해서 사람들이 도저히 알 수 없을 만큼 지능적으로 포장해놨는지 훤히 보이거든요. 사람들은 그걸 의심 없이 방세옥의 것으로 받아들였을 테고, 그러니 저 같은 게 아무리 호소를 한들……"

그가, 정말로 한도 끝도 없이 하소연을 할 작정인 것 같아 나는 일단 그의 말을 끊었다. "좀 진정하시고, 사정은 알겠지만 저라고 해서 원고를 구할 길이 있는 건 아닙니다. 아시겠지만 그분은……"

"부탁합니다." 그는 그래도 포기하지 않았다. "인간 대 인간으로서 적어도 제 인생이 틀리지 않았다는 사실만 증명할 수 있게 해주십쇼. 이렇게 부탁합니다." 언뜻 그의 눈에 눈물이 맺히는 것 같았으나 마침 고개를 떨구는 바람에 정확히는 알 수 없었다. "저는 인생에서 많은 것을 바란 적이 없어요. 떵떵거리는 부자가 되거나, 고관대작이 되어 권세를 누린다거나 그런 것엔 관심도 없었습니다. 단 한 번 남에게 피해를 끼친 적도 없고 법을 위반한 적도 없습니다. 어려서부터 그렇게 작가가 되길 원했지만 언감생심 베스트셀러 작가가 되길 바라본 적도 없고요. 다만…… 내 힘으로 작은 상이라도 하나 타서 등단을 하게 되면 그저 몇 년에 한 편씩이라도 신작을 발표해 비평가나 기자 한둘에게 혹평이라도 좋으니 비평도 좀 받고, 내 글을 좋아하는 독자들도 더러 있어서 서점에 가면 누군가 알아보고 인사해주는 사람 한둘 정도 있기를 바랐죠. 그게 제가 원했던 전붑니다. 그것이 똑같은 사람으로 태어나 목표를 향해 최선을 다해서 달려온 제가 꿔선 안 될 꿈이라도 되나요? 제가 제 분수에 넘치는 과욕을 부린 건가요?" 내가 무슨 말을 하랴. "그것을 위해 수없이 많은 책을 읽으며 그토록 노력했는데…… 그런 내 책은 일주일 만에 사라지고 엉뚱하게 책 한 권 읽지 않았다고 주장하는 양아치 같은 놈은 내 글을 훔쳐다 온 세상에 팔아먹고 호의호식하고 있으니 이런 장난 같은 현실이……." 그는 갑자기 무서운 눈빛으로 돌변하더니 분노에 찬 어조로 내뱉었다.

"나는 그 사람을 용서할 수가 없어요."

그때, 가게 안의 음악이 돌연 댄스뮤직으로 바뀌며 사람들이 여기저기에서 일어나 좀비처럼 춤을 추기 시작했다.

'도대체 무슨 카페가…….' 나는 귀를 찢을 듯 갑작스레 커진 볼륨에 나도 모르게 얼굴을 찡그렸다.

"그렇다고 절대 저를 무슨 성공한 사람에 대한 증오를 억누르지 못해 난동이나 부리는 인생의 패배자로 생각하진 말아주십시오. 아시겠지만 저는 그 사람한테 열등감을 느낄 하등의 이유가 없어요. 제가 말하고 싶은 건 누구도 내 인생이 평범하다거나 실패했다고 말할 수는 없다는 겁니다. 나는 다만……"

그가 너무 흥분하는 것 같아 어떻게든 자제를 시켜야겠다고 생각했으나 그는 이미 내 말을 듣고 있지 않았다.

"내 것만 뺏기지 않았더라도……. 내 글만 도둑질당하지 않았더라
도……."

그는 분노에 차 꼭 쥔 손을 떨며 중얼거렸고, 가게 안은 오십 명도 넘
는 사람들이 한꺼번에 춤추고 떠들어대는 소리로 완전히 아수라장이었
다. 그 난리통에 그는 또 내게 뭐라고 고함을 쳤지만 난 시끄러워서 더
는 도저히 알아들을 수가 없었다. 내가 큰 소리로 "뭐라고요?" 하자 그
가 "사랑해요"라고 하는 것 같았다. 이게 무슨 소리야? 나는 그가 뭐라
고 말하는지 입모양을 보기 위해 가까이 다가앉으려 했지만, 그는 큰
주먹으로 테이블을 부서질 듯 내려치더니 그만 자리를 박차고 나가버
렸다.

"당신도 똑같은 한패일 뿐이야!"

"저기요. 저기요."

곧바로 쫓아나갔지만 권은 벌써 어디론가 사라진 뒤였다. 테이블 위
에는 그의 첫 책이라던 소설집 『폐허』만이 덩그러니 놓여 있었다. 나는
조개와 나무들이 조잡하게 인쇄되어 있는 그 책을 집어들고는 소란스
러운 카페를 빠져나와 집을 향해 걸어갔다. 다시 목이 칼칼해져왔다.
나는 언젠가 권순원이 서점에서 용휘에게 다가가 말을 걸었다가 차갑
게 외면당했던 모습을 상상해보았다.

"저…… 혹시 방세옥 작가님 아니신가요……."

"아닙니다."

분명 용휘는 아주 단호하고 쌀쌀맞게 말했을 것이다. 처음 나한테 그랬던 것처럼.

집으로 들어가 제롬에게 그와 만난 얘길 해주었더니 처음 녀석은 그치가 『호밀밭의 파수꾼』을 들먹인 것이 꺼림칙하다며 용휘 걱정을 했다. 존 레논을 암살한 범인이 레논에게 총을 쏘고 나서 경찰이 올 때까지 보고 있던 책이라면서. 그러나 내 말을 다 듣고 권의 책까지 보고 난 녀석은 태도가 백팔십도 달라져 길길이 뛰며 용휘를 비난했다.
"내 그럴 줄 알았어. 김용휘 이 사기꾼."

이틀 뒤 일요일 저녁. 용휘는 연락도 없이 모임에 나오지 않았고 그가 나타나기만을 벼르던 제롬은 홀로 용휘를 기소해 재판에 회부했다. 결론은 유죄. 용휘는 명백한 유죄였다.

40. 소문

"용우냐?"

권을 만나고 며칠 뒤, 은석이로부터 전화가 왔다. 용휘가 문학상 사무실에 찾아가 자기 원고를 돌려달라고 빌었다는 것이다.

"뭐, 빌어?"

소영에게 난리를 쳐도 일의 진전이 없으니 아예 직접 찾아간 모양인데 그렇다고 빌기까지…….

은석이는 말했다. "방세옥이 왜 그렇게 원고 반환에 목을 매는지 아냐? 글이 세상에 공개되는 순간 표절은 공식적인 게 되거든. 그러니까 발표되기 전에 필사적으로 원고를 회수하려는 거라고."

녀석은 이미 세간엔 방세옥이 누군가의 글을 베낀 것이 탄로날까봐 상을 받지 못한다는 소문이 파다하다고 했다. 방세옥에게 글 도둑질을 당한 당사자가 문학상측에 투서까지 했다면서. 필시 권일 것이다.

"뭐, 아무리 그래도 일단 응모된 원고는 반환이 되질 않으니 이젠 재기는 거의 불가능하다고 봐야겠지. 참 거 사재기에 표절에, 그 매니저

196

라는 여잔 또 얼마나 죽이고 싶을까, 그 성격에."

방청소를 하다 은석이의 전화를 받았을 때, 난 벌써 사 년째 내 방을 굴러다니고 있는 콘돔 몇 개를 손에 들고 생각에 잠겨 있었다. 은색 커버에 노란 글씨로 오카모토 사 제품이라고 쓰여 있는 이 콘돔들은 언제나 일정한 거처도 없이 이렇게 내 방 여기저기 굴러다니다 잊을 만하면 눈에 띄어 사람을 괜한 상념에 젖게 한다. 두께 0.01밀리짜리 세계에서 두번째로 얇다는 일제 콘돔. 희수와 사귈 때 홍대 정문 앞 콘도마니아에 둘이 같이 가서 산 것이다. 이것보다 더 얇은, 그러니까 세계에서 제일 얇다는 것도 써봤지만 우린 이게 더 좋았다. 그래서 늘 열두 개들이 한 박스를 사서 떨어질 때쯤 되면 한 박스씩 더 사곤 했다.

헤어졌을 때, 박스에 남아 있던 콘돔 여덟 개를 보며 난 생각했다.

또 쓸 때가 있겠지. 정말 그렇게 될까?

당연히, 다시는 섹스를 안 할 것도 아닌데 그땐 왜 그랬는지 그런 생각이 들었다. 어쨌든 나는 그것들을 남겨두기로 했고, 그렇게 남겨진 녀석들은 그뒤로 사용되지도, 그렇다고 버려지지도 않은 채로 이렇게 몇 년째 내 방을 굴러다니고 있다. 그동안 다른 여자랑 한 번도 자지 않았느냐 하면 그것도 아니면서.

얼마 전엔 선배의 주선으로 소개팅을 했다. 재작년 용휘가 신문에 엉뚱한 사진이 실려서 곤경에 처했던 그때처럼, 똑같은 선배가 똑같은 장소에서 소개팅을 제안해왔다. 나 역시 그때처럼, 용휘가 마음에 걸리면서도 내가 이거 하나 안 한다고 용휘 문제가 해결될 것도 아니라, 아무튼 나갔다. 서른네 살. 동갑이었고 유명한 엔터테인먼트 회사 실장이라고 했다. 청담동 라바짜 클럽에서 만나 커피를 마신 뒤 근처 로바다야키로 자리를 옮겨 저녁 겸 해서 늦게까지 술을 마셨다. 그녀는 유명한 사람의 매니저였기 때문에 주로 연예인들 얘길 나눴고 이런저런 얘기 중에 우리 둘 다 칠 년간 연애를 하다 이제 막 헤어진 지 사 년이 넘어가고 있다는 사실을 알았다. 우연이란 사람의 마음을 얼마나 빨리 묶어주던가. 데면데면하던 우린 덕분에 급속도로 친해졌고 그뒤로 두어 번 더 만나며 영화도 보고 드라이브도 가고 그랬다. 사귀기 직전, 내 쪽에서 갑자기 거절을 하긴 했지만.

왜 그랬을까. 술에 잔뜩 취한 그녀가 칠 년간 사귀었던 남자를 두고 헤어진 즉시 잊어버렸다면서 진절머리 나는 표정으로 말했기 때문에? 아님 그저 누군가에게 날 이해시키고, 또 누군가를 이해하는 일이 이제는 너무 아득하게 느껴져서? 난 내 마음의 갈피를 잡을 수 없었고 늘 그렇듯 다른 누구보다 용휘에게 이 문제에 대해 털어놓고 이야기하고 싶었다. 하지만 이 년 전 꼭 그때처럼, 그는 또다시 내가 선뜻 연락을 하기 주저되는 사람이 되어 있었다.

용휘는 지금 어디서 무얼 하고 있을까.

세상 사람들이 그를 비난하고 조롱하며 그의 해명을 듣고 싶어했지만 그는 묵묵부답으로 일관한 채 오직 원고의 반환만을 요구하고 있었다. 마치 궁지에 몰려 눈을 질끈 감아버린 새앙쥐처럼.

　만약 원고를 돌려받지 못한다면, 그래서 그의 표절 사실이 세상에 드러난다면…… 어쩜 다시는 글을 쓰지 못할지도 모른다.

41. 사고

한데 무슨 일이 벌어진 것일까.

제1회 초월문학상의 시상식은 아무 일도 없었던 것처럼 예정대로 진행되었고 상금 오억 원짜리 초대형 문학상의 초대 대상 수상자는 방세옥으로 결정되었다. 이제 그는 첫 책을 낸 지 칠 년 만에 뒤늦은 등단을 한 셈이었고, 드디어 제도권의 인정을 받았으며, 마침 사재기 혐의도 풀려 이제야 원래의 자리를, 아니 그걸 넘어서 명실공히 작가 인생의 정점에 오르게 된 것이었다. 생방송으로 티브이 중계된 시상식에서는 소영이 정장 차림으로 나가 이 시대의 문학이 어떠니 저떠니 하면서 용휘를 대신해 오글거리는 수상소감을 늘어놓고 있었다.

이게 어떻게 된 거지? 그럼 권순원이 나한테 보여준 건 다 뭐라는 거야?

언론에서는 사재기 누명을 썼다 상황이 급반전된 용휘의 이야기를 역전드라마로 포장하느라 바쁠 뿐 어디에도 그의 표절과 관련된 얘기는 없었다.

이해가 안 간다. 이럴 거면 뭐하러 그렇게 상을 거부했던 거지? 정말 권의 말대로 문학상측과 모종의 거래라도 있었던 걸까? 상의 원활한 출발과 용휘의 재기를 위해서?

이건 말이 안 돼. 이러면 용휘는 계속 그 짓을 할 거다.

그날 밤. 어디서 누구와 또 축하 파티를 하고 있는진 몰라도 용휘로부터는 아무 연락이 없었다. 이런 좋은 소식이 있을 때면 항상 우리에게 먼저 연락해서 함께하곤 했었는데. 제롬이 사기극이라며 소영에게 전화를 걸었지만 그녀 역시 받질 않았고 그날 용휘네 집엔 밤새 불이 켜지지 않았다.

다음날인 월요일 오후 네시 십분경. 우리 동네 골목으로 웬 이삿짐 트럭 한 대가 들어왔다. 트럭은 작았고 허리엔 짐을 올리는 구식 사다리가 달려 있었다고 한다. 조수석에 타고 있던 선글라스를 낀 삼십대 후반쯤으로 보이는 남자의 표정은 태연했고 평온해 보였다고 한다. 그는 제롬과 내가 회사에 간 틈을 타 몰래 사다리차를 타고 우리집 옥상에 올라가려 했는데, 무엇 때문인지 침낭과 일주일분의 음식을 싸왔을 뿐만 아니라, 집채만한 배낭 안에 망원경과 사진 촬영기, 고성능 녹음기와 도청기, 무비카메라, 노트북과 물수건, 여분의 배터리, 그리고 생수에 맥주까지 들어 있었다고 한다.

그는 정말 그 모든 걸 짊어지고 남의 집 옥상에 아무런 제지도 받지 않은 채 올라갈 수 있으리라 생각했던 걸까. 하긴, 이 동네에 산 지 삼 년이 되어가지만 누가 이사를 오든 말든 신경쓸 만한 사람 자체를 본 일이 거의 없으니 혹 성공했을지도 모르겠다. 하지만 그의 결정적인 패착, 즉 그가 도저히 사전에 알 수 없었던 한 가지는 어떤 사람이 자기 집 이층 현관에 인간등대처럼 버티고 서서 하루 온종일 이 동네를 골목 구석구석까지 샅샅이 주시하고 있다는 사실이었다. 그는 이 작고 인적 없는 동네에 왜 그런 은밀한 파수꾼이 필요한지 짐작할 수 없었을 것이다.

"자네들 지금 여기서 뭐하고 있는가?"

아나나 다를까, 예정에 없던 사다리차가 골목에 들어서자 그 모습을 수상히 여긴 관리인 노인네가 곧장 트럭으로 다가가 천연덕스럽게 물었다. 창문이 열린 운전석 문짝에 위압적으로 손을 얹은 채 의심 가득한 눈으로 차 안을 들여다보면서.

조수석에 앉아 있던 남자는 잠시 놀랐지만 이 노인이 오지랖 넓게 동네에서 자주 왔다갔다하는 사람이라는 것쯤은 알고 있었으므로 대수롭지 않게 여겼다.

"남의 집 일에 신경쓰지 말고 저리 비켜요."

이런 어이없을 데가. 이건 마치 도둑이 집주인보고 나가라는 격이 아닌가. 노인은 기가 막혀 얼른 차를 빼라고 말했으나 남자는 듣지 않았다. 오히려 그는 넋을 놓고 있는 트럭 운전수에게 어서 사다리를 올리지 않고 뭘 하고 있느냐고 재촉했다. 작고 단단한 체구의 운전수는 눈치가 빠른 사람이었다. 그는 제값보다 오십만 원이나 더 주겠다는 말에 혹해 회사에 보고조차 하지 않고 무단으로 트럭을 몰고 온 것이라 말썽이 생겨선 곤란했다. 운전수가 멈칫거리자 초조해진 남자는 돈은 얼마든지 더 줄 테니 빨리 사다리를 올리라 다그쳤고, 그러면 그럴수록 운전수는 그 이해할 수 없는 다급함에 더욱 이상함을 느꼈다. 마침내 운전수가 돌아가야겠다면서 기어에 손을 대자, 남자가 그렇게는 못한다며 운전수를 제지하려고 해 둘 사이에 몸싸움이 벌어졌다. 한쪽은 나이들고 마르긴 했어도 명색이 이삿짐을 나르는 사람이었다. 그러나 보통 사람의 두 배가 넘는 굵은 팔뚝을 가진 남자를 당해내기엔 역부족이었는지, 운전수는 기어이 남자에게 턱을 얻어맞고는 맥없이 차 밖으로 내던져지고 말았다. 남자는 직접 사다리에 오르기 위해 차에서 내려 짐칸으로 올라갔다. 애써 챙겨온 짐도 팽개쳐둔 채, 그는 어떻게든 위로 올라가야 한다는 생각뿐이었다. 하지만 장애물이 하나 더 남아 있었다. 관리인 노인네가 따라올라와 사다리에 오르려는 남자의 허벅지를 붙들고 늘어진 것이다. 아무리 노인이라지만 그는 아직도 손으로 못을 박을 정도의 장사였다. 유난히 키가 작았던 남자에 비해 그날따라 덩치도 훨씬 커 보였다. 노인네는 육중한 두 팔로 한동안 남자의 다리를 잡은 채 완강하게 버텼다. 그러나 시간이 흐를수록 노인은 지쳐갔고 남자는 그의 손을 뿌리치며 조금씩 위로 올라가려 하였다. 그 바람에 결사적으로 손을 놓지 않으려던 노인도 함께 딸려올라갔다.

용휘가 움직이기 시작한 것은 그때였다. 시상식이 있던 날 밤부터 내

내 집에서 머물고 있던 그는 삼층 집필실에서 이 모든 광경을 처음부터 지켜보고 있었다고 했다. 노인의 힘을 믿었기에 초반에 상황이 충분히 수습될 줄 알았다는 것이다. 그러나 생각보다 둘의 대치 상태가 오래가자 뒤늦게 집 밖으로 달려나갔고, 상황을 지나치게 낙관한 자신을 탓하며 황급히 계단을 뛰어내려갔지만 늦고 말았다. 용휘가 일층에 도착했을 때, 어느새 노인의 몸이 허공에 떠 있었기 때문이다.

쿵.

95킬로그램의 몸무게를 지닌 사람이 땅바닥에 힘없이 곤두박질치는 둔중한 소리가 났다.

"삼촌!"

용휘가 소리치며 그를 잡으려 했지만 노인은 이미 바닥으로 떨어진 뒤였다. 사람들이 어디서 왔는지 그제야 웅성이며 몰려들었고 그때 날카로운 외마디 비명소리가 동네에 커다랗게 울려퍼졌다.

"으아아악!"

노인이 땅에 떨어지는 것을 본 워리가 남자에게 달려들어 그의 허벅지를 살점이 떨어져나가도록 물어뜯어버린 것이다. 욱하는 성질이 있긴 했어도, 리트리버의 피가 섞인 워리가 누굴 공격한 것은 그때가 처음이었다. 누구도 통제할 수 없었던 남자는 그제야 사다리에서 고꾸라지듯 내려와 절룩거리며 달아나기 시작했다. 왼쪽 허벅지 안쪽에서 흘러나온 붉은 피가 바닥까지 뚝뚝 떨어져내렸다. 워리는 정신을 잃은 노인 주변을 맴돌며 안타까운 듯 낑낑거렸고, 용휘는 곧바로 남자를 쫓아갔다. 워리가 용휘를 쫓아서 내달렸다. 그는 어느새 시야에서 사라지고 없었다. 용휘가 있는 힘을 다해 큰길로 달려나간 그때, 인도를 전속력으로 달려오던 스쿠터와 부딪혀 공중에 뜬 채로 삼 미터나 나가떨어졌다. 눈을 떠보니, 시야엔 온통 검은 아스팔트뿐이었고 오른쪽 발목이 안으로 완전히 꺾여 있었다. 용휘는 그대로 정신을 잃었다.

42. 결심

늦은 밤. 동숭동 서울대학병원.

소영으로부터 연락을 받고 퇴근길에 달려가보니 수술실 앞에서 용휘가 발에 깁스를 한 채 지친 얼굴로 앉아 있었다. 수상 후 처음 보는 거라 축하 인사라도 건네야 했지만 그럴 분위기가 아니었다.

'근데 왜 보호자가 없는 거지?'

난 용휘와 소영 말고는 아무도 없는 게 의아했다. 근데 글쎄 용휘가 보호자라는 것이 아닌가.

"뭐? 아저씨가?"

"몰랐어요? 용휘씨 외삼촌이세요. 아는 줄 알았는데……."

소영은 경황이 없어서 그런지 고개를 떨구곤 더는 말을 잇지 않았다. 그때 수술복 차림의 의사가 마스크를 벗으며 밖으로 나왔다. 그가 다행히 위험한 고비는 넘겼으니 회복실로 옮기면 될 것 같다고 말해주자, 용휘는 그제야 안도하며 자리에서 일어나 의사에게 감사하다고 몇 번이나 고개 숙여 인사했다. 그러곤 정신이 좀 드는지 소영에게 병실에 따라가봐달라고 부탁했다. 나와 용휘는 로비로 가 자판기 커피를 두 잔 뽑아들고 가까운 의자에 앉았다.

"큰일날 뻔하셨어요."

"연세가 있으셔서 걱정했는데 그만하길 다행이야."

늦은 시간. 텅 빈 병원 로비엔 간간이 링거를 꽂은 환자들이 걸어다 녔고, 벽 중앙에 걸린 텔레비전에서는 뉴스 채널이 낮은 볼륨으로 틀어 져 있었다.

"부모님이나 마찬가지셨어. 우린 어렸을 때부터 한집에서 살았거든."

소영을 통해 얼핏 알고는 있었지만 그가 자신의 입으로 가족사에 대 해 털어놓기는 처음이었다. 친척이었으면서 왜 내게 말하지 않았을까.

"참." 나는 뒤늦게 그에게 인사를 건넸다. "아저씨, 수상 축하드려요."

용휘는 대답 없이 엷은 미소만 지었다. 사고 때문인지, 그의 얼굴 어 디에도 수상의 기쁨은 찾아볼 수 없었다. 그는 몹시 지쳐 보였다. 다시 만나면 일이 어떻게 된 것인지 이번만큼은 꼭 물어보리라 생각했었는 데 이 사고 때문에 그럴 수도 없게 되고 말았다. 용휘는 내가 권을 만 난 것도, 그가 내게 뭔가 보여주었다는 것도 모를 테지. 잠시 침묵이 흐 르던 중, 한 떼의 젊은 의사들이 늦은 퇴근을 하는지 왁자하게 떠들면 서 병원 로비를 빠져나가자, 그 모습을 지켜보던 용휘는 뭔가가 생각난 듯 말을 꺼냈다.

"〈하얀 거탑〉 알아? 드라마."

"알죠. 장준혁 과장. 재밌었는데."

"그…… 장준혁이 실수로 사람을 죽여놓고 의료소송에 휘말렸을 때, 변호사조차 그의 잘못이라는 걸 아는 상황에서 본인만 자기 죄를 인정 안 하잖아."

"그랬죠." 나는 고개를 끄덕였다.

"그 사람이 죽음을 앞에 두고서까지 유서와 함께 항소이유서를 쓰는 장면을 보면서 난 그런 생각이 들더라. 저 사람은 자기가 정말로 죄가 없다고 믿어서 저러는 걸까, 아니면 자기 자신에 대한 믿음이 너무 강해서 스스로마저 속이고 있는 걸까."

실내는 금연이었지만 용휘는 상관 않고 담배를 한 대 피워 물었고, 그가 수심 가득한 얼굴로 담배를 몇 모금 빨다간 곧 종이컵에 비벼 꺼버리자 허연 연기가 힘없이 공중으로 솟아올랐다.

"용우야."

"네."

"넌 진심이 뭐라고 생각하니?" 루카도 아닌 곳에서, 그가 갑자기 내 이름을 부르니 난 오랜만에 용휘의 제자가 된 기분이 들었다.

"글쎄요. 뭐 거짓 없는 솔직한 마음?"

"그래. 그러면 그 진심은 어떻게 알 수 있지?"

"글쎄요. 어떻게 알지? 허허…… 믿으면 되나."

"맞아. 믿지 않으면 진심도 진실도 없어. 결국 진심이란 건 증명해 보이는 게 아니라 믿어주는 거라고."

자정이 넘었고 로비엔 우리 둘뿐이었다. 용휘는 멍하니 허공을 바라보며 말을 이어갔다.

"난 말이야…… 내가 장준혁이 아니니까 그 사람이 어떤 마음으로 그랬는지는 몰라. 다만 극중에서 나오진 않았지만 그가 쓴 항소이유서를 사람들이 믿었을까, 하는 생각을 해봤어. 아마 안 믿었을 거야. 아무리 죽음 앞에 자기 인생을 걸고 쓴 것이라 해도 장준혁의 죄는 명백했거든. 그러니까 증명이라는 건 목숨이 아니라 뭘 걸어도 안 되는 건 안 된다는 거지." 말을 하는 용휘의 손동작이 커지기 시작했다. "근데 이걸 보자고. 장준혁 과장 생전에 그의 편에 섰던 사람들, 뭐 장인이라든가 부하들이라든가…… 그를 지지하고 그의 편에 섰던 사람들이 그의 잘못은 알았을지언정, 그가 왜 자기 자신까지 속여가면서 그렇게 잘못을 부정하려고 했는지는 이해해주지 않았을까? 내 말 무슨 뜻인지 알겠어?"

난 알 것도 같고 모를 것도 같았지만 일단 알겠다고 대답했다. 내가 알 수 있는 건 용휘가 여태껏 말하지 않았던 뭔가를 말하려 한다는 것과, 그게 뭐든 간에 내가 그걸 이해해주길 바라고 있다는 것뿐이었다. 한참을 침묵하던 용휘는 작정한 듯 긴 숨을 토해내며 내일 '그놈'을 만나러 가겠다고 했다. 안 그러면 이 싸움은 끝나지 않을 거라면서. 그놈이라 함은 권을 말하는 것일 테고, 그는 사고 직후 피를 흘리며 달아나다 마침 근처를 지나던 순찰차에 발견돼 현행범으로 체포된 터였다. 그때 소영이 로비로 내려와서는 자긴 내일 전혀 시간이 안 난다고 해 용휘의 경찰서행은 졸지에 내가 함께하게 되었다. 소영은 용휘에게 지금이라도 좀 쉬라고 당부한 뒤 병원 로비를 빠져나갔고, 난 그녀를 데려다주려고 얼른 쫓아갔지만 그녀는 어쩐 일인지 사양하고는 앞에 서 있던 택시를 타고 휑하니 가버렸다. 밤하늘이 유난히 까맸다. 병원 정문 앞마당에는 손님을 기다리는 택시가 두 대 더 서 있었고 그중 한 대는 운전수가 문을 활짝 열어둔 채 안에서 코를 골며 잠이 들어 있었다. 나는 담배를 한 대 꺼내 입에 물려다 말고 로비로 돌아와 엘리베이터 쪽으로 멀찍이 걸어가고 있는 용휘에게 소리쳤다.

"아저씨, 저도 이만 가볼게요."

푸른 환자복을 입은 용휘가 반쯤 뒤돌더니 천천히 손을 들어 보였다. 나는 병원 마당을 가로질러 건넌 후 지하 주차장으로 내려가 차를 타고 병원 정문을 빠져나갔다. 용휘는 내일 경찰서로 가 모든 사실을 털어놓으려는 걸까. 나는 어쩐지 이대로 집에 가면 잠이 오지 않을 것 같아 공연히 핸들을 이리저리 꺾다 처음 가보는 근처의 어느 셀프 주유소에 차를 세웠다. 언덕배기에 있는 성북동 고급주택가가 코앞에서 올려다보이는 곳이었다. 차문을 열고 내리려는데 마침 그쪽으로 올라가는 재규어 한 대가 붕 하고 내 앞을 지나갔다. 용휘가 예전에 몰던 것과 색깔과 모델까지 똑같은 하얀색 XFR이었다.

43. 재규어

  그의 재규어를 처음 몰던 날.

  용휘는 우리집에 찾아와서는 내 손에 키를 쥐여주며 자기를 성북동에 좀 데려다달라고 부탁했다. 무슨 안 좋은 일이라도 있었는지 그는 몸을 가누지 못할 정도로 취해 있었다. 난 그저 재규어를 몰아본다는 생각에 신이 나 냉큼 키를 받아들고는 그의 마음이 변할 새라 잽싸게 주차장을 빠져나가 삼선교를 지나 북악 스카이웨이 쪽으로 나는 듯이 달려갔다. 맨날 앞바퀴가 차체를 힘겹게 끌고 가는 전륜구동 국산차만 타다 뒤에서 묵직하게 밀어주는 기분이 얼마나 끝내주던지. 삼청터널을 빠져나온 직후 용휘의 지시로 오른쪽 길 한 귀퉁이에 차를 멈춰 세우고는 내려서 인도도 따로 없는 성북동 언덕길을 대취한 그를 따라 걸어올라갔다. 용휘는 술에 상당히 취해 있었음에도 그곳의 지리를 정확히 그리고 세세히 기억하고 있었는데, 마주치는 집마다 손가락으로 일일이 가리키며 어느 집에 누가 사는지를 줄줄이 꿸 정도였다. 그때만 해도 난 그가 유복하게 자란 건 알았지만 이 정도로 부자동네에서 살았을 줄은 몰랐기 때문에 꽤나 놀랐었다. 한참을 그렇게 걷던 그는 어떤 커다란 주택가 골목 뒤편에 비밀스럽게 자리한 언덕으로 나를 데리고 올라갔는데, 난 서울의 야경이 그렇게 아름다운 줄 그날 처음 알았다.

"어때. 죽이지?"

차를 타고 북악 스카이웨이 언저리나 드라이브하다 가는 나 같은 사람들은 결코 알 수 없는, 그야말로 이곳에 살았던 사람이나 알 법한 그런 곳이랄까. 한참을 감탄하며 서 있다 문득 옆을 돌아보니 용휘가 언덕 끝자락에 서서 떨어질듯 위태롭게 비틀거리며 서울의 밤 풍경을 내려다보고 있었다.

"아저씨, 조심하세요."

난 술기운에 그가 추락이라도 할까 걱정이 돼 데리고 아래로 내려갔다. 그런데 비틀거리며 나를 따라오던 용휘가 갑자기 "아 저기!" 하면서 달뜬 얼굴로 어떤 집을 가르켜 쳐다보니 바로 앞에 외국 잡지에서나 보던 근사한 단층집 하나가 서 있었다. 나는 그가 어릴 적 살던 집에 오랜만에 와본 사람마냥 회상에 젖은 얼굴을 하고 있어 이곳에 사셨던 거냐고 물었는데, 그는 급작스럽게 침울한 얼굴이 되더니 이렇게 대꾸할 뿐이었다. "단층집 아니야. 언덕 밑으로 한 층 더 있어." 그게 다였다. 한동안 반원형 철문이 가로막고 있는 그 집 안을 유심히 들여다보던 그는 이내 말없이 차가 있는 삼청각 쪽으로 발길을 돌렸고, 갑작스러웠던 성북동 산책은 그것으로 끝이었다. 왜 거길 가자고 했는지, 그곳이 그의 집이었는지, 가서 뭘 하고 온 건지 전혀 알 수 없었지만 어쨌거나 난 재규어를 몰아본 것에 만족했었다.

　그뒤로 용휘는 언제고 술에 떡이 되도록 취할 때면 종종 내게 재규어의 키를 쥐여주며 성북동행을 부탁했다. 한번은 그날도 똑같은 코스를 반복하고 나서 술 취한 용휘를 부축해 조수석에 태우고 다시 아랫동네로 내려가는데, 건물의 규모며 때깔이며, 차창 밖의 풍경들이 마치 딴 세상인 양 변해가는 것이 꼭 천국에서 현실의 세계로 내려가기라도 하는 것 같은 기분이 들었다. 그때, 차창 쪽으로 고개를 떨군 채 거의 필름이 끊긴 줄 알았던 용휘가 배배 꼬인 소리로 느닷없이 내게 이런 걸 물었다.

　"넌 꿈이 뭐냐."

　"꿈이요? 갑자기 꿈은 왜…… 저 그런 거 없다니까요."

　그러자 용휘는 상체를 벌떡 일으켜 세우더니 술 취한 할아버지가 훈계라도 하듯 내게 버럭 소릴 지르는 것이다.

　"예끼, 이놈아. 젊은 놈이 꿈이 있어야지. 그래 가지고 무슨 보람으로 인생을 사냐. 응? 아저씨 꿈은 뭐였는지 말해줬지? 내 꿈 말이야. 평생 간직해온 내 꿈."

　그러더니 차창 쪽으로 고개를 떨구며 그대로 잠이 들어버렸다. 백미러에서는 용휘가 이곳에 오면 늘 문 앞에서 한참을 서성이는 그 집이 멀찍이 사라져가고 있었다.

　그나저나 용휘가 내게 꿈을 말해준 적이 있었던가? 한 번도 그런 얘긴 한 적이 없었던 것 같은데. 어쩜 그의 꿈은 언젠가 가족 모두가 다시 모여 저 성북동에서 함께 살게 되는 것이었는지도 모르겠다. 그랬다면 이런 괴물이 되지 않아도 됐을 것을.

난 그가 안됐으면서도 한편 이제라도 사실을 밝히겠다는 결심을 해서 다행이라고 생각했다. 비록 내일이면 그 어떤 상실감과 그리움으로도 변명이 되지 못할 죗값을 치르게 될 테지만 말이다.

나는 어느새 조금 피곤해져 기름을 넣지 않은 채 그냥 집으로 돌아갔다.

44. 권과 용

서울 성북경찰서.

몇 겹의 검은 철문과 쇠창살로 된 또하나의 문을 지나 밖에서는 전혀 보이지 않는 중세의 성 같은 건물 안으로 들어서자, 취조실로 보이는 듯한 방이 하나 나왔고 우리는 그곳으로 안내되었다. 방에는 책상 하나와 의자 네 개가 놓여 있었고 그중 한 자리엔 수갑을 찬 권이 앉아 있었으며 창문 없는 벽 모퉁이에선 작은 환풍기 하나가 돌아가고 있었다. 그가 용휘를 보더니 소리쳤다.

"오랜만이네. 고매하신 베스트셀러 작가 나리."

"이봐, 헛소리하면 다시 집어 처넣을 거야." 우리를 데리고 들어온 젊은 형사가 권의 말을 신경질적으로 잘랐다. 뒤이어 깡마르고 오십대쯤 돼 보이는 형사반장이라는 사람이 들어오더니 꼭 출석부처럼 생긴 종이판대기로 권의 어깨를 툭툭 치며 말했다.

"작가님께서 당신 선처하겠다고 오신 거니까 얼른 잘못했다고 말씀드리고 예의바르게 행동해. 알았어?"

그러나 형사반장이 용휘에게 정중히 인사한 뒤 쿵 소리가 나게 철문을 닫고 나가자 권은 마치 용휘를 비웃기라도 하듯 히죽히죽 웃어댔다.

"선처라고……? 후후…… 또 날 정신병원에 처넣으려는 모양이지? 솔직히 미친 건 당신이잖아. 안 그래? 하루도 거르지 않고 매일 밤 서점에 가서 자기 책이 베스트셀러 코너 1위에 놓여 있나 확인해야 안심하고 잠이 드는 인간이 정상인가? 자기 글도 아닌 걸 가지고 말야."

권은 용휘를 당당한 눈빛으로 쏘아보며 말했고 용휘는 아무 말도 하지 못한 채 담담한 표정으로 그 시선을 받아내고 있었다.

"그런 주제에 선처라니……. 당신은 지금 자기가 누군지도 모르고 날뛰고 있어."

암만 생각해도 우스운 일이라는 듯 권은 용휘를 향해 실실 웃기만 했다. 그렇게 일 분쯤 흘렀을까. 방 안에 들어온 후 용휘가 처음으로 입을 열었다.

"담배 한 대 피워도 됩니까."

목을 쭉 빼밀고 형사에게서 받아든 담배를 한 모금 깊이 빨아들인 용휘가 이윽고 천장에 매달린 등 아래로 허연 연기를 뿜어 올리며 말했다.

"나는 선처가 아니라 자수를 하러 온 거야."

"네? 작가님 지금 무슨 말씀을……."

용휘의 말에 권은 물론 형사와 나까지 당황해 어쩔 줄을 몰라 하는 가운데 용휘는 거침없이 말을 보탰다.

"제가 이 사람한테서 뭘 좀 빌려왔거든요."

계속되는 그의 예상치 못한 발언에 방 안은 침묵에 빠졌고 그런 용휘를 미심쩍은 눈으로 바라보던 권은 이내 상황을 받아들였는지 얼굴이 빨개져서는 언성을 높였다.

"이제야 실토를 하는군. 이봐, 형사양반 얘기 들었지? 수갑 차야 될 사람은 내가 아니야." 흥분한 권이 형사와 용휘를 번갈아 쳐다보며 정신없이 말을 이었다. "그리고 말은 정확히 해야지. 뭘 좀 빌려온 정도가 아니라 대놓고 남의 인생을 훔쳤잖아. 그것도 무려 칠 년 동안."

"그래 맞아. 인정해." 용휘는 순순히 자신의 죄를 시인했다.

"그럼 자수하고 유치장에나 갈 일이지 뭣 때문에 날 찾아왔지?"

"물어볼 게 있어서."

"해가 서쪽에서 뜰 날이구만. 그렇게 쫓아다니면서 말을 걸 땐 한마디도 해주지 않고 투명인간 취급을 하더니 이렇게 직접 찾아와서 말도 걸어주고 자수도 해주고 나한테 궁금한 것까지 있다니 이거 황송해서 원……."

수갑에 조여 오른에서 방금 꺼낸 빵처럼 부풀어오른 손을 들어 보이며 권이 빈정댔다. "하여튼 어디 물어보슈. 별로 먹을 게 많은 놈은 아니지만. 히히." 기분이 좋아졌는지 권이 어설픈 농담을 던졌으나 용휘의 표정엔 조금도 변화가 없었다. 용휘가 말했다.

"내가 누구지?" 순간 권의 얼굴이 굳어졌다.

"뭐?"

"말해봐. 내가 누군지 안다며."

"이건 또 무슨 수작이야."

"말을 해보라고, 이 씨발놈아. 넌 내가 누군지 안다며."

용휘의 갑작스런 호통에 얼떨떨해진 권은 자기도 모르게 대꾸했다.

"마, 말했잖아. 내가 아니면 아무것도 아닌 놈이라고. 아무것도 아닐 뿐만 아니라 아무것도 가지지 못한 놈이라고."

"좋아. 그럼 넌."

"도대체 무슨 말을 하고 싶은 거야?" 좀 전까지 만해도 용휘의 고백에 얼굴이 펴졌던 권은 이제 수갑 찬 손등으로 연신 귀를 긁어대며 불안해했다.

"아…… 별 볼 일 없는 놈이 몇 마디 씨불인 게 불쾌하셨나? 후후…… 이봐, 책 좀 판다고 내 앞에서 우월감 따위 가지려고 하지 마. 난 등단한 정식 작가구 너 따위 야매하곤 달라. 아무도 니 글을 문학이라고 생각 안 할 뿐만 아니라 아무도 너를……"

"내 말은……"

용휘가 답답한지 권의 말을 자르며 말했다. "내가 아무것도 가지지 못했다는 건 나도 아는데, 그런 너는 뭘 가졌냐고 묻는 거야. 비꼬는게 아니라 정말 알고 싶어서 그래. 방세옥이 내 걸 뺏어가서 내 인생이 요 모양 요 꼴이 됐어요, 그딴 거 말고 너라는 사람이 원래부터 갖고 있던 거, 널 지탱하게 하는 거, 너한테서 아무도 훔쳐갈 수 없는 거. 그게 뭐냐고. 그게 알고 싶다고."

권은 아무 말도 하지 않았다. 자신에게 왜 이런 걸 물어보는지, 뭐라고 답해야 용휘를 뭉개줄 수 있는지 생각하는 눈치였다.

"없나?" 용휘가 그럴 줄 알았다는 듯 얼굴에 짜증 섞인 조소를 띄우자 권은 뭔가에 떠밀린 사람처럼 더듬거리며 말을 하기 시작했다.

"난…… 작가고…… 등단을 했고……. 그래 염병할, 나도 가진 건 별로 없어. 그래도 난 잘살고 있었거든? 당신이 내 글을 도둑질했으면서 뻔뻔하게 날 정신병자 취급하고, 평범했던 내 존재를 쓰레기 취급하지만 하지 않았어도 난 계속 잘살 수 있었을 거야. 난 당신처럼 바라는 게 많지 않았으니까."

"그 말이 사실이었으면 좋겠군."

용휘가, 여전히 얼굴에서 냉소를 거두지 않은 표정으로 응수하자 권은 지지 않고 대꾸했다.

"왜, 아닌 것 같나? 당신 눈엔 세상 사람들이 다 평범해서 불행할 것만 같지? 성공하지 못해서. 잘나지 않아서. 걱정하지 마. 아무도 당신처럼 베스트셀러 작가가 되지 못했다고 해서 인생이 끝났다고는 생각 안 하니까. 다들 그런 것 없이도 얼마든지 잘살고 있다고. 당신보다 훨씬 가치 있는 일들을 하면서……."

이제 일어나야 할 시간이라고 형사가 말했지만 권은 멈추지 않았다. 그는 용휘에게 한풀이라도 하듯 십 분이나 더 훈계를 늘어놓다 보다 못한 형사의 제지로 방에서 끌려나가 유치장으로 돌아갔다. 표절과 관련해서는 용휘가 자수를 하긴 했지만 그도 사람을 다치게 했기 때문에 이대로 풀려날 수는 없는 모양이었다.

　방을 나가며, 정말로 숨김없이 죄를 다 털어놓고 벌을 달게 받으라고 자신에게 악을 쓰는 권을 보면서, 애써 담담해하던 용휘는 조금 지친 얼굴이었고 이제 그도 권과 마찬가지로 조사실에 들어가야 할 형편이 었다. 그런데 그때 수갑을 채울 줄 알았던 젊은 형사가 이번 문학상에 서 용휘가 표절한 권의 책을 집어들더니 이리저리 돌려보며 용휘를 향해 씩 웃어 보이는 것이다.

　"참, 어떻게 이런 걸 만들 생각을……. 작가님, 그동안 마음고생 많으셨겠습니다."

　그러자 용휘는 또 주름진 얼굴로 말없이 웃어 보이는데 난 그 두 사람 사이의 이 알 수 없는 웃음의 교환이 무슨 뜻인지를 몰라 어리둥절했고, 조금 있자니 한술 더 떠 다른 형사들까지 들어와 아들에게 줄 거라며 용휘에게 사인을 받는가 하면, 서장님이 기다리고 계신다며 용휘를 데리고 나가려고 하질 않나, 이건 도무지 조사가 아닌 인사를 나누는 분위기인 거라. 결국 난 이분들과 할 얘기가 있다며 먼저 가보라는 용휘의 말에 떠밀리듯 먼저 조사실을 나와야 했다. 그러곤 아무리 생각해도 돌아가는 상황이 이상해 소영에게 전화를 걸었다. 그런데 글쎄…… 그 모든 게…….

45. 거짓말쟁이 혹은 정신병자 혹은 몽상가

"맞아요.

그 사람 등단한 적도 없고 출판사에서 책이 나온 적도 없어요. 자비로 몇 권을 낸 적이 있긴 한데 그중 한 권이 아마 용휘씨랑 같은 날 나온 적이 있었나봐요. 그때부터 용휘씨 책이 나오면 그걸 조금씩 베껴서 자기 책인 것처럼 만들어 가지고 다녔대요. 방세옥이 자기 글을 표절했다면서."

"그게 정말이야?"

"생각해봐요. 그 사람이 자기 책 보여줬죠? 거기 이름이 뭐라고 써 있던가요? 기자도 권순원, 작가도 권순원. 이상하지 않아요? 그 사람 이름도 주소도 진짜는 하나도 없어요. 이번에 문학상측에 보낸 책도 신문에서 간추린 내용 보고 급히 만든 거고요."

미친 사람이기 때문이라는 한마디로 그가 한 모든 일들이 설명될 수 있는 것인지는 모르겠다. 팩트로써 분명한 건 그는 정신병원을 십오 년이나 드나든 원래 정신병자였고 그가 자신에 대해 얘기한 모든 게 거짓말이었다는 것이다. 그의 조부는 일본 유학은 고사하고 소학교도 다니지 못한 시골 촌로였으며, 그의 아버지는 중학교 국어교사가 아니라 읍내 면사무소 사무장이었고, 그 자신도 영문과 차석은커녕 대학 문턱에도 가본 적 없었다. 학교 대신 정신병동에서 청춘을 보내며 끄적거린 글로 수많은 문학상에 응모했으나 모두 실패, 결국 자비로 책을 내고는 자신이 등단했다 믿었고, 나중엔 다른 작가들이 자신의 글을 베낀다는 망상에 시달리다 용휘 전엔 또다른 작가를 찍어 그 사람에게 같은 짓을 -그가 자기 인생을 훔쳐갔다고- 한 적이 있었다는 것이다. 소영의 얘기를 듣고도 도무지 믿기지가 않아 도로 형사를 찾아가 직접 들은 이야기였다. 지어낸 사연도, 보이는 행태의 패턴도 용휘에게 했던 것과 똑같았다.

　형사로부터 권에 대한 얘기를 들으며 나는 생각했다. 무엇이 그로 하여금 그렇게 자신의 일생을 지어내게 만들었던 건지를. 책, 작가, 등단. 사람들로부터 인정받는 것, 자기 책이 서점 서가 잘 보이는 곳에 가능한 많이 놓이는 것, 누군가 자길 알아봐주고 인사해주는 것, 평론가들이 좋은 말해주는 것……. 그런 것들이 그가 진실로 되고 싶고, 갖고 싶고, 받고 싶었던 전부였을까. 그래서 그게 너무 간절해서, 원래는 그렇게 살았어야 할 자신의 인생이 누군가에 의해 도둑질당해 이렇게 살고 있을 뿐이라고, 그렇게 믿는 것만이 그의 삶을 견디게 해주었던 걸까.

마지막으로 단둘이 만났던 카페에서 진지하게 자기 인생과 꿈을 이야기하며 자기가 만든 책을 꺼내 용휘의 표절을 증명하려던 그의 얼굴과 눈빛이, 그 간절함이 생각난다. 내 이름을 걸고 단언컨대 그건 거짓말쟁이의 연기도 미치광이의 착각도 아니었는데. 어쩜 그는 거짓말을 한 것이 아니라 꿈을 꾼 것은 아닐까?

형사를 만나고 나서 다시 로비로 나와 한 시간을 기다려도 용휘가 나오지 않아 난 먼저 집으로 돌아갔다. 밥이라도 같이 먹으면서 사과를 하고 싶었는데.

"믿어. 믿으면 아무도 널 어쩌지 못해."

결국 용휘는 처음부터 사람들한테 해명할 일 자체가 없었던 것이다. 난 말로만 그를 친구라고 하면서 무슨 일이 생길 때마다 한 번도 그를 조건 없이 믿어준 적이 없었던 것이고. 단지 두둔했을 뿐. 단지 이해하는 척했을 뿐.

한편, 소식을 전해 들은 제롬은 며칠 후, 용휘에게 표절도 아니고 아무 문제도 없는 원고를 왜 그렇게 공개하면 안 됐던 것인지를 따지듯 물었고 용휘는 자신이 원하는 결말이 아니라 오랫동안 고민하던 글이기 때문이라고 대답했다. 세상에 미완성인 원고를 보이고 싶어하는 작가는 어디에도 없다면서. 답변에 결함이 없었기에, 제롬은 이번에도 마음을 돌려 용휘를 믿었고, 그렇게 사재기 사건으로부터 비롯된 그 모든 소동은 일단락되었다.

46. 소원

12월.

사람들의 복장이 두툼해지고 표정은 활기찬 겨울이었다. 더이상 용휘의 집을 기웃거리는 사람도 없었고 옥상에 올라가려고 사다리차를 동원하는 촌극도 벌어지지 않았다. 관리인 삼촌(우리는 사고 이후 용휘를 따라 노인네를 그렇게 불렀다)은 다행히 몸이 회복되어 종종 우리집에 찾아와 막혀버린 수도배관도 뚫어주고 워리를 쓰다듬으면서 차도 한잔 마시다 돌아가곤 했다. 다 그런 거겠지만, 친해지고 보니 또 그렇게 점잖은 사람이 없었다.

"아, 글쎄 안 된다니까. 12월에 누가 책을 본다 그래."

출판사 대표의 반대에도 아랑곳없이 용휘는 크리스마스 출간을 목표로 집에 틀어박혀 글을 쓰고 있었다. 문학상을 탄 원고를 다듬어 책으로 내기 위해서였다. 대표는 불만이 대단했지만 그의 결심을 말릴 수는 없었다. 육 개월 전, 나와 함께 경찰서로 권을 만나러 다녀온 그 주 일요일. 용휘는 반포 영풍문고로 나를 불러 그렇게 말했다. 자기는 크리스마스에 책을 내는 것이 오랜 소원이었다고. 그런데 그동안엔 한 번도 그럴 수가 없었다고.

"왜요?"

"12월엔 책이 안 팔리거든."

이제 이룰 수 있는 것은 다 이뤘다고 생각해서일까? 문학상 수상 이후, 용휘는 많은 것이 변했다. 더이상 서점 순찰도 가지 않았고, 빵도 예전처럼 많이 먹지 않았으며 판매에 안 좋다는 12월에 책을 내겠다고 하는 것 자체부터 예전 같으면 상상할 수 없는 일이었다.

그날, 제롬은 또 한번 누명을 벗은 용휘에게 위로주라도 따라줘야겠다며 술을 따놓고 기다리다가 한 잔 두 잔 홀짝이던 술에 저 혼자 뻗어버렸고, 덕분에 나만 문자를 받고 용휘를 만나러 가게 되었다.

— 여기 반포 영풍인데 안 올래.

난 사건이 모두 해결되고 평온을 되찾은 그가 서점 순찰을 재개한 거라고만 생각했다. 그런데 도착해보니 그날은 그곳이 마지막 영업을 하는 날이었다. 저녁 여덟시쯤 도착했는데, 정문 유리벽에 오늘자로 폐업을 알리는 공고문이 커다랗게 붙어 있었다. 서점은 마지막으로 그곳을 찾은 사람들로 인산인해를 이루고 있었다. 용휘도 이곳이 사라지기 전에 조금이라도 더 봐두려고 저녁 여섯시부터 와 있었다고 했다.

"여긴 너한테도 추억이 있는 공간 아니니?"

"네. 예전 그애가 근처에 살아서 여기에 자주 왔었어요. 밑에 지하상가랑 백화점도 자주 갔었는데……."

"그래서 마지막으로 한번 봐두라고 부른 거야."

"아, 네⋯⋯."

안 그래도 용휘는 얼마 전부터 대형서점들이 하나둘 문을 닫는다고 걱정을 했었다. 그때는 책 팔아먹을 공간이 줄어서 그러는 줄만 알았는데.

희수와 헤어진 뒤 근 사 년 만에 다시 찾은 그곳을, 나는 마지막 인사라도 나누는 심정으로 추억에 젖어 용휘와 함께 구석구석을 돌았다. 이곳은 시내에 있는 다른 대형서점과 달리 아파트촌이 인근해 있어 가족 단위 손님들이 유난히 많았다. 서점이 문을 닫는다고 하니 일종의 폐업 세일 같은 걸 기대하고 온 사람들과 사라져가는 공간을 마지막으로 봐두기 위해 찾은 우리 같은 사람들이 뒤섞여 서점 안은 만원이었다. 부모가 골라준 책을 손에 몇 권씩 들고 이리저리 뛰어다니는 아이들, 집세를 과도하게 올려서 동네에 하나밖에 없는 서점이 문을 닫는다며 건물주를 성토하는 할아버지들, 영풍문고측 속사정을 어찌 그리 잘 아는지 문 닫는 이유는 다른 데 있다며 스캔들이라도 난 듯 뜬소문을 소곤거리는 아줌마들, 긴 세월 이곳을 데이트 장소로 이용해온 것이 틀림없어 뵈는 수많은 손잡은 연인들과 가족들⋯⋯.

활기. 그것은 활기였다. 다들 아쉬워하지만 누구 하나 눈물 흘리거나 얼굴 찡그리지 않는, 꼭 올림픽 폐막식 때의 그것과도 같은 열기가 그곳에 있었다.

우리는 내내 서점 안에 있다가 근처 터미널 식당가에서 비빔밥으로 늦은 저녁을 먹은 다음 다시 돌아와 사람들이 하나둘 빠져나갈 때까지 그곳에 머무르며 오랜만에 많은 얘기를 나눴다. 어느덧 시간은 빠르게 흘러 마침내 아홉시 사십분. 이제 이십 분만 있으면 한 공간이 영원히 사라져갈 순간이 되자 용휘는 서점에 와서 무언가 기분이 고조될 때면 늘 하는 그 이야기를 어김없이 되풀이했다.

"나는 어렸을 때부터 서점을 너무 좋아해서 서점에 오는 게 인생의 유일한 낙이었어. 이곳에만 오면 마음이 그렇게 편해질 수가 없었지."

용휘가 그 말을 할 때, 우린 짐 정리를 하는 직원들에게 자릴 비켜주느라 이층 외국서적 코너 난간에 기대 서 있었는데 하필 정면 아래로 베스트셀러 순위판이 내려다보이는 곳이었다. 다시 높은 순위를 회복한 용휘의 책들을 무심히 바라보며, 나는 늘 듣던 얘기인지라 그저 흘려듣고 있는데 무엇 때문인지 용휘는 그날따라 평소엔 하지 않던 말을 덧붙였다.

"하지만 내가 정말로 행복했던 시절은 내 책이 서점 베스트셀러 코너에서 사라질 줄 모르던 지난 육 년간이 아니라, 내 책들 자체가 서점에 아예 없어 아무런 불안감 없이 이곳을 찾던 날들이었어. 목표가 생기면서 인생이 불행해진 거지."

씁쓸한 미소를 지으며 용휘는 내게 말했다. "근데 그 목표라는 게 말이야…… 목표가 없는 내가 불행하다고 느꼈기 때문에 생긴 거거든? 그러니 참 인생이란 게……" 용휘는 자기도 모르게 주머니에서 몇 번이나 담배를 빼물려다 도로 집어넣길 반복하며 짧은 한숨을 쉬었다.

"어떤 게 옳은 건지 나도 모르겠다. 정말."

그날 우리는 서점이 문을 닫는 최후의 순간까지 그곳에 남아 자리를 지켰고, 친구를 믿지 못한 것에 대해 내가 정식으로 사과하자 그는 그저 살짝 웃기만 했다.

47. 초대

육 개월 뒤 크리스마스이브.

용휘의 새 책이 나오는 날이었다. 용휘는 탈고 이후에도 퇴고를 거듭
하느라 자신의 글이 종이에 찍혀 나오는 그 순간까지 손에서 원고를 놓
지 않았다. 전에는 퇴고도 별로 하지 않고 러프하게 글을 쓴 뒤 툭 던
져버리곤 했었는데.

인쇄소에서 책이 완성되던 날, 모든 것을 마친 용휘의 얼굴에는 후련
함인지 불안감인지 모를 복잡한 감정들이 뒤섞여 있었다. 얼굴에는 곰
처럼 살이 붙어 있었고 턱에는 여느 때처럼 산에서 살다 온 사람마냥
수염이 덥수룩하니 나 있었지만 웬일로 얼굴은 깨끗한 편이었다. 용휘
가 좀 쉬어야겠다면서 집으로 금방 돌아가는 바람에, 우리는 별다른
말없이 루카에서 빵 한쪽씩을 간단히 나눠 먹고는 헤어졌다. 그러곤 일
주일. 그의 바람대로 이렇게 크리스마스이브에 책이 나오게 된 것을 난
누구보다 축하해줄 마음이었다. 우여곡절이 유난히 많았던 책이기도
하고, 그 과정에서 나도 한몫했다고 생각했기에. 물론 수많은 사람들이

그의 책을 찾을 테지만, 그래도 이렇게 첫날 서점에서 내 손으로 직접 한 권을 사주고 싶었다. 사실 짝이 없어 크리스마스임에도 딱히 할 일이 없는 탓이 크긴 했지만 말이다. 제롬과 함께 찾은 광화문 교보문고는 휴일에 크리스마스까지 겹쳐서 발 디딜 틈 없는 만원이었다. 새까맣게 몰려든 차들로 장사진을 이룬 주차장에 겨우 차를 대고, 사람들 틈에 짐짝처럼 끼어 엘리베이터를 타고 올라가다보니 문득 삼 년 전, 크리스마스 며칠 전에 귀국한 제롬과 함께 이곳에 왔던 생각이 났다. 벌써 시간이 그렇게나 흐른 것이다. 서점이 있는 지하 일층의 엘리베이터 문이 열리자 우린 수문 열린 댐 안에 갇혀 있던 물처럼 사람들에 떠밀려 서점 안으로 밀려들어갔다.

천천히 서점 한 바퀴를 돌았다. 과연, 이래서 크리스마스 때 출간을 하면 안 되는 거구나. 전 같으면 용휘 혼자 독점하다시피 했을 입구 쪽 커다란 매대엔 온통 처음 보는 스님들이나 다른 작가의 책들이 알록달록한 리본을 매단 채 선물용으로 포장이 되어 가득 놓여 있었다. 어디선가 용휘가 튀어나와 중들이 왜 이렇게 책을 많이 내냐고 버럭 소리를 칠 것만 같았다. 책이고 사람이고 너무 북새통이라 도저히 신간이 주목을 받을 분위기가 아니었다. 그래도 용휘의 책은 특별하니까 또 어디 좋은 자리에 수북이 쌓여 있겠지. 근데 뭔가 좀 이상하다. 아무리 연말이라 서점이 시장 바닥 같다지만 이렇게 찾기가 어려울 수가……. 책의 위치를 검색해보고 싶었지만 검색대마다 사람들이 너무 많아 엄두를 낼 수 없었다. 직원들도 다들 너무 바빠 말 붙이기조차 어려웠다. 그때,

"야, 뭔가 좀 이상해."

제롬도 나와 같은 생각인가보다, 하고 있는데 녀석이 엉뚱한 말을 건네왔다.

"용휘 책이 한 권도 없어."

"그게 뭔 소리야. 틀림없이 오늘 나온다고 했는데."

"아니, 오늘 나오는 새 책 말고 원래 나와 있던 애들. 방세옥 책이 서점에 한 권도 없다고."

"뭐라고?"

녀석이 들고 있던 스마트폰을 빼앗아 화면을 보니 교보문고의 재고 검색에 방세옥의 책이 모두 0권으로 나와 있었다.

이게 어떻게 된 거지? 뭔가 착오가 있겠거니 싶어 가까운 검색대의 긴 줄 끝에 서서 한참을 기다렸다. 기다리는 동안만 해도 그렇게 심각히 생각하진 않았다. 근데 직접 확인을 해보니 놀랍게도 결과는 같았다.

절판.

작지만, 어떤 불길한 선언처럼 섬뜩하게 다가왔던 두 글자.

이해가 가지 않았다. 불과 보름 전만 해도 서점에 왔을 때 용휘 책이 널려 있었는데…….

지나가는 아르바이트 한 명을 붙잡고 물어보니 얼마 전 회수 조치가 내려져 책을 모두 수거해 갔다고 했다. 그래도 의문이 풀리지 않아 다시 직급이 있어 보이는 직원에게 묻자, 작가의 요청으로 절판된 것으로 안다면서 자세한 내막은 모르겠다고 했다. 문학상 수상 이후 판매도 예전처럼 회복되어서 회수할 아무런 이유가 없다면서.

그럼 대체 왜…….

나는 그저 어리둥절해 그 자리에 서 있는데 제롬이 내게로 웬 책 한 권을 들고 왔다.

이게 뭐야?

뺏어서 들여다보니 제목은 『누가 꽃밭을 흔들어놓았나』가 맞았지만 글쎄 지은이가 김용휘, 그러니까 방세옥이 아니라 김용휘 본명으로 되어 있었다.

뭐야. 대체 뭐가 어떻게 된 거야.

도무지 상황을 알 수 없어 하는 나를 데리고, 녀석은 발 디딜 틈 없는 인파를 제치며 저 구석 한 귀퉁이에 초라하게 놓여 있는 작은 매대가 있는 곳으로 갔다. 거기엔 용휘의 책이 물정 모르고 12월에 태어난 다른 무명 작가들의 책과 함께 쓸쓸히 놓여 있었다. '신인들의 용감한 도전'이라는 코너명을 단 채로.

신인? 용휘가?

난 정말로 용휘가 쓴 게 맞는지 다시 한번 책을 뒤적거리는데 호랑이도 제 말하면 온다더니 갑자기 휴대폰이 몸을 떨며 허벅지를 울렸다.

"메리 크리스마스~" 용휘였다.

벨이 울리기 전까지 살펴본 책에는, 어디에도 문학상 수상작이란 문구는 없고 그 앞에서 선물용 책을 한아름씩 사들고 돌아서는 이들 중 누구도 이 이름 없는 작가들의 작품엔 눈길 한번 주지 않았다. 나는 말했다.

"아저씨, 저 지금 서점에 왔는데요……."

일단 입은 열었지만 상황을 어떻게 설명해야 할지 몰라 머뭇거리는데, 용휘는 여기 일을 아는지 모르는지 밝은 목소리로 말했다.

"오늘 이른데 왜 거기서 그러고 있냐. 둘이 같이 있어?"

"네. 근데……."

여전히, 할말을 찾지 못해 버벅거리던 그때 용휘가 자기 책이 서점에서 사라져버린 것만큼이나 놀랄 말을 던져왔다.

"그럼 너네 지금 우리집으로 올래?"

내가 놀라 벌어진 입을 다물지 못하자 제롬이 큰 소리로 왜, 왜 하며 다가와서는 휴대폰에 머리를 들이밀고 난리를 쳤다.

"정말요? 정말 가도 돼요?" 나는 도저히 믿기지가 않아 그에게 몇 번이나 되물었다.

"어. 그리고……."

"네."

"책은 사지 마. 내가 줄 테니."

"네, 알겠습니다!" 옆에 있던 제롬이 전화기에 대고 귀청이 떨어져라 소릴 질렀다.

삼 년, 무려 삼 년 만의 초대였다.

48. 용휘네 집

"와……."

나는, 문간에 신발장이 아닌 책장이 있는 집은 태어나서 처음 보았다. 신발 벗는 데서부터 거실에 이르기까지 오 미터가 넘는 긴 복도 양쪽 벽이 모두 책장이었다. 하얀 책장들이 높이만 약간씩 다르게 줄줄이 늘어서 있었고 거기엔 처음 보는 신기한 책들이 한 치의 틈도 없이 다닥다닥 꽂혀 있었다.

"어서들 와."

안쪽으로 조금 걸어들어가니 오른편 주방에서 앞치마를 두른 용휘가 나와 우리를 맞았다. 그는 우리 보고 거실에 좀 앉아 있으라고 했지만 그곳엔 커다란 1인용 가죽소파가 있을 뿐 휑하니 빈 공간 어디에도 둘이 앉을 자린 없었다. 우린 그냥 복도 한 켠에 선 채 멀뚱히 사방을 둘러보았다. 아무런 장식 없이 오로지 책장과 책만이 가득한 실내……. 제롬이 집 구경 좀 해도 되냐고 성질 급한 목소리로 졸라대자 용휘는 뭘 만드는지 칼등으로 도마를 딱딱딱 두들기면서 대답했다.

"그럼, 편하게들 둘러봐."

그때, 불 꺼진 거실 안쪽 어둠 속 발치에서 희끄무레한 생명체 하나가 야아옹 하면서 사뿐히 걸어나와 내 다리에 자기 몸을 스치듯 비벼댔다.

"어, 얘는?"

"우리 히말라야 예쁘지."

"어. 그, 그래."

소영이 어느 틈엔가 내 옆으로 와서는 털이 허옇고 가만히 있어도 찡그린 듯한 인상의 못난 고양이를 번쩍 안아올렸다. 내 기억이 맞다면 언젠가 소영으로부터 이 고양이에 관한 이야길 들은 적이 있다.

외국에서 아기 고양이를 수입해다 비싸게 팔아먹는 청담동의 어느 '명품' 고양이 캐터리에 우연히 덤으로 얹혀 온 새끼고양이 한 마리가 어쩌나 못생겼던지 그냥 주겠다는데도 아무도 데려가려 하지 않았단다. 그래서 무려 일 년을 넘게 이리저리 옮겨다녀야 했는데 그동안 평생을 좁은 케이지 안에서만 갇혀 살다 그나마도 이젠 안락사될 운명에 처했다는 것이었다.

"그게 정말이야? 정말 철창 밖을 나가본 적이 한 번도 없었냐고."

소영으로부터 그 얘길 들었을 때, 정작 흥분했던 건 용휘가 아니라 제롬이었는데. 대칭이 맞지 않는 눈, 다리미에 눌린 듯한 한쪽 얼굴…… 그 지독한 못난이를 용휘가 데려다 키우고 있을 줄이야.

고양이가 소영의 품을 밀치고 바닥으로 풀쩍 뛰어내리더니 다시 내

다리에 자기 몸을 비빈 다음 처음 걸어나온 어둠 속으로 도로 걸어들어갔다. 마치 자길 따라오기라도 하라는 듯이. 그 모습에 이끌려 나도 모르게 고양이를 따라 방에 들어가 불을 켜는 순간, 뒤따라오던 제롬과 나는 또 한번 탄성을 지를 수밖엔 없었다.

"우와……."

그곳엔 웬만한 작은 아파트보다도 큰 서재가 있었던 것이다. 방 하나가 스무 평도 넘어 보이는 널찍한 공간의 사방을 빈틈없이 메우고 있는 하얀 책장들. 나는 작은 창문 하나 없이 사방이 책으로 둘러싸인 이 공간에서 홀로 책을 고르고 있는 용휘의 모습을 떠올려보았다. "어? 여기 좀 봐." 제롬이 불러 가봤더니 모서리에 비밀스럽게 난 계단을 통해 히말라야가 아래층으로 뛰어내려가는 모습이 보였다. 따라가보니 이번엔 아예 아래 두 층 전체가 모두 서재였다. 삼층도 커서 놀랄 판이었는데 여긴 사십 평도 넘는 건물의 면적 전체가 완전히 책으로만 채워져 그야말로 장관이었다. 우리가 이동하는 동안 히말라야는 층마다 앞서 내려가 각 층 서재 한가운데에 놓인 동그란 테이블 위에 훌쩍 올라가서는 뒷발을 하늘 높이 쳐들곤 혀로 열심히 다리며 배 안쪽을 핥아댔다. 아무도 데려가지 않던 못생긴 고양이가 용휘를 따라 이곳에 와 세상에서 가장 큰 개인도서관의 관장을 맡게 된 것이다.

"올라들 와라."

준비가 다 됐는지 삼층에서 용휘가 우릴 불렀다. 우린 혹시나 펼쳤던 흔적이 있을까 싶어 여기저기 헤집어놓은 책들을 얼른 제자리에 꽂아

넣곤 위층으로 향했다. 일층에 있던 히말라야가 우리를 앞질러 쌩하고 뛰어올라갔다.

"글쎄…… 어려울 것 같은데."

오랜만에 넷이 모여 보내는 한때였다. 우린 용휘가 직접 만든 음식으로 배를 채우며, 술도 곁들이면서 즐거운 시간을 보냈다. 늘 그렇듯 술이 오르자 제롬이 큰 소리로 대화를 주도했다. 녀석은 소영에게 한 달 전 헤어진 어떤 여자와 자기가 다시 만날 수 있을지를 물었고, 설명을 듣고 난 그녀는 난감한 얼굴이 되었다.

"왜? 왜?" 녀석이 입에 넣은 초밥을 우물거리며 다급히 그 표정의 이유를 물었다.

"여자가 상대의 말을 인정할 때가 오히려 무서운 법이죠. 아니라고 하면 싸워도 헤어지진 않지만 네 말이 맞다고 해버리면 그건 좋지 않은 징조거든요."

"그렇구나……." 녀석은 아쉬운 듯 풀이 죽어서는 시큼한 오이피클을 포크로 쿡 하고 찍어 올렸다.

"후후. 그 나이에 왜 그런 것도 몰라. 그만큼 변화할 의지가 없다는 거잖아요." 소영의 핀잔에 제롬은 며칠 전 본 타로점의 점괘와 똑같다면서 실망하는 눈치였다.

"야, 그런 뻔한 것도 몰라서 점까지 봤단 말야? 그 정돈 상식이지." 듣다못해 내가 한마디 보태자 갑자기 용휘가 먹잇감이라도 발견한 독

수리마냥 잽싸게 끼어든다.

"상식?"

"네. 상식."

"그 상식이라는 게 너의 상식과 제롬의 상식이 다르다면?" 장난기 가득한 눈빛으로 보아 필시 의도적인 도발임이 분명했지만 난 기꺼이 그 도발에 낚여주기로 했다.

"둘 중 하나는 상식이 될 수 없겠죠. 아니면 둘 다 상식이 아니거나."

"상식이란 거 자체가 주관적이라는 생각은 안 해봤어?"

"주관적이면 그게 상식이에요?"

"그럼 왜 그놈의 상식을 들먹이다 맨날 싸움이 날까?" 소영이 그만하라며 말렸지만 용휘는 멈출 생각이 없는 듯했다. 나도 지지 않았다.

"상식이 아닌 걸 상식이라고 우기는 사람이 있으니까."

"그러니까, 그걸 어떻게 가릴 건데? 다 자기가 상식적이라고 생각할 거 아냐."

"그래도 그중에 누군가 진짜 상식을 가진 사람이 있겠죠."

"글쎄, 그걸 누가 판단하느냐니까."

용휘가 답답해죽겠다는 듯, 이제는 얼굴까지 구겨가며 오버를 해대자 소영이 분위기가 과열됐다고 느꼈는지 새 술을 따며 끼어들었다.

"자, 자, 두 분 이제 그만. 우리는 어른이니까 뭐가 됐든 다른 사람과의 불일치에 너무 민감해하지 말자고요. 하긴, 나도 대학 들어가서 처음 연애할 땐 남자친구가 나랑 영화 취향이 다른 게 너무 슬퍼서 세상이 끝나버리는 줄 알았지만. 후후."

소영의 어색한 노력에, 나도 더는 분위기를, 아니 정확히는 내 기분을 망치고 싶지 않아 화제를 돌리기로 했다.

"그나저나 아저씨 책은 도대체 어떻게 된 거예요?"

그러자 애써 오버하며 딴청을 피우던 용휘는 여전히 별일 아니라는 듯 태연히 대답했다.

"신경쓰지 마. 어차피 존재하지 않던 인물이 사라진 것뿐이니까."

"에? 그게 무슨……."

"그보다 용우야."

"네?"

"나 너한테 할말이 좀 있어." 용휘는 꼭 이 말을 꺼내기 위해 먼 길을 돌아온 사람처럼 왠지 모를 비장함마저 섞인 어조로 말을 꺼냈다.

"네? 뭔데요?"

그때, 제롬이 마치 약속이라도 한 듯 자리에서 일어나 거실의 소파로 가서 거의 눕듯이 몸을 묻더니 소영도 화장실을 가려는지 복도 안쪽 어딘가로 가버렸다. 그러고 보니 용휘도 좀 전과는 다르게 얼굴에서 장난기가 사라져 있었다.

뭐지, 이 분위기는?

그가 위스키 한 잔을 스트레이트로 단숨에 들이켜더니 확실히 좀 전과는 다른 톤으로 말했다.

뜬금없이 자기 방을 보여주겠다는 것이다.

"방이요? 현관 쪽에 있는 저 방 말씀하시는 거예요?"

"응. 너 저 방에 들어가보고 싶어했잖아."

"근데 하실 말씀이 있으시다면서 갑자기……"

"보여줄게. 이리 와봐."

용휘는 자리에서 벌떡 일어나더니 머뭇거리는 내 팔을 거칠게 잡아 끌었다.

사실 오늘 이 집에 오게 되었을 때에도 난 저 방에 대해서는 아무 생각이 없었다. 옥상에 대한 호기심 같은 건 이미 사라져버린 지 오래였으니까. 어쨌거나 용휘는 나를 데리고 현관 쪽에 있는 방문 앞으로 갔고, 나는 어른한테 이끌리는 아이처럼 그에게 손을 잡힌 채 끌려갔다.

"자, 개봉박두……"

용휘가 내 옆에 바짝 붙어서 말을 하는 바람에 코에 위스키 냄새가 진동을 했다. 따라 들어가보니 방은 그저 평범한 집필실이었다. 안에는 진한 고동색 나무로 짠 책상이 창문을 향해 놓여 있었고 창가 쪽 벽에는 밖에서 늘 보던 붉은색 커튼이 쳐져 있었다. 그 외엔 창가에 의자 두 개가 마치 소파처럼 밖을 향해 놓여 있을 뿐, 방은 거창하게 개봉하고 말 것도 없을 만큼 평범했다. 용휘가 창문을 가리고 있던 저 두꺼운 커튼을 열기 전까진.

"기억나니? 언젠가 내가 너한테 한 가지 무례를 범하게 되더라도 용서해달라고 했던 거." 용휘가 좀 전과는 달리 한없이 인자한 얼굴로 나를 돌아보며 말했다.

"기억나요. 그런데 왜요?"

그는 말없이 웃으며 커튼을 열었다.

49. 용휘의 일생

내가 본 그걸 어떻게 설명해야 할까.

커튼을 열자 창문 밖으로 동네가 한눈에 들어왔는데, 눈앞에 반듯하게 뉘어진 액자처럼 선명히 보이는 옥상에 네모나고 아담한 정원이 하나 만들어져 있었다. 이 추운 겨울에 우리집 옥상에 꽃들이 피어 있었던 것이다. 날이 워낙 추워 조금 헐벗긴 했지만 앞에는 강아지풀같이 생긴 풀더미가 갈색 옷을 입은 채 무리지어 있었고 그뒤로 층층이 핀 눈꽃은 뒤편 전나무가 있는 곳까지 이어져 있었다. 좁은 공간을 꽃들로 촘촘히 채우고 저렇게 사람이 다닐 수 있는 길까지 만들어놓은 걸 보면 짧지 않은 시간 동안 손질해온 것이 분명했다. 바람에 꽃들이 흔들리며 군데군데 붙어 있던 눈송이가 떨어졌다.

"자, 이제부터 질문. 딱 한 가지만."

용휘는 장난스레 말했지만 난 어쩐지 기분이 조금 이상해져버렸다. 화도 났고, 놀랍기도 했다. 뒤쪽에 서 있는 사람은 관리인 삼촌이었다. 그는 벙거지를 쓰고 무릎까지 오는 검은 장화를 신고서 허리를 숙인 채 나무에 짚을 둘러주고 있었다. 잠시 후 그가 옥상의 불을 켜주자 조명을 받은 꽃밭은 겨울이라곤 믿을 수 없을 만큼 화사하게 빛났다.

"자, 어서 질문."

용휘가 남은 질문을 재촉했지만 나는 이번만큼은 그의 뜻대로 끝낼 생각이 없었다.

"더이상은 안 되겠어요. 도대체 저 옥상이 어떻게 된 건지, 아무것도 숨기지 말고 말해주세요. 저 관리인 할아버지도 그렇고, 옥상에 왜 꽃밭이 있는 거며, 그동안 왜 올라갈 수 없게 했는지, 왜 내게 이런 말들을 지금까지 삼 년이 넘도록 하지 않으셨던 건지 말해주세요. 하나도 남김없이 다요." 나는 격앙된 어조로 말했다. 더이상은 이 사람 때문에 놀림감이 된 것 같은 기분을 느끼기는 싫었다.

"그래그래. 미안해. 오늘 다 말해줄게. 전부 다." 용휘는 손으로 내 어깨를 다정히 짚으며 창가에 놓인 의자에 가서 털썩 앉더니 옥상을 내려다보며 이야기를 시작했다.

"십 년 전에, 저 집으로 이사를 왔어."

그가 주머니에서 담배를 꺼내 피워 무는 동안 나는 그의 옆자리로 가 나란히 옥상을 보고 앉았다. 머릿속에서 이 집의 하얀 책장과 벽과 거실이 우리집의 그것과 오버랩되었다.

"원래는 쭉 성북동에서 살았었지. 부모님이 윗동네 부잣집에 가서 정원도 손질해주고 그 사람들이 시키는 허드렛일 같은 걸 하셨거든."

한마디로 그는 성북동 부자동네가 아닌 그 끄트머리 평범한 집에서 태어났고 부모님은 큰돈을 모은 사업가가 아니라 말이 좋아 조경업이지 부자들 마당 돌보는 일을 하셨으며, 두 분은 이혼은커녕 금슬 좋게 아직도 그 동네에서 잘살고 계시고, 자긴 남동생 같은 것도 없다는 것이었다.

"미안해." 그가 어색하게 웃으며 말을 이었다. "성북동 그 대궐 같은 집에 부모님을 도우러 따라갈 때면 형들은 다들 열심히 일을 하는데 유독 나만 거기서 서울의 밤풍경을 넋을 잃고 바라보곤 했어. 신기하지? 거기 있는 모든 것들, 집이며 풍경이며 그렇게 아름다웠는데 반응하는 사람이 나밖엔 없었다는 게. 난 갖고 싶었어. 저 휘황한 도시의 불빛들. 커다랗고 멋진 저택. 일을 마치고 온 가족이 아버지의 낡은 트럭을 타고 성북동 언덕길을 덜컹거리며 내려갈 때면 난 짐칸에서 부모님 몰래 형들에게 말하곤 했어. 왜 우리는 이런 곳에서 살 수 없는 걸까. 그럼 형들은 도리어 나를 이상한 놈 취급하는 거야. 막내라서 철없는 소리를 한다며."

막내……. 그러니까 이 사람이 이렇게 일등이 아니면 견디지 못하는 괴물이 되어버린 건 어려서 가족이 깨진 탓도, 어머니로부터 버림을 받아서도 아니란 말인가?

"내가 어떤 사람이었는지는 중요하지 않아. 어떤 대접을 받았는가가 중요하지."

그것뿐이라고 했다. 어렸을 때부터 그는, 일기 한 줄을 써도 누군가 훔쳐봐주길 바라면서 책상에 일부러 슬쩍 펼쳐놓는 그런 타입의 아이였다. 그러나 초등학교 육학년 때 어느 시험 전날, 선생님 책상 위에 펼쳐져 있던 문제지를 훔쳐본 덕에 얼떨결에 일등이란 걸 해본 뒤론 단 한 번 남의 주목받는 일 없이 초라하게 열아홉 살이 되었고, 다시 이십 년이 흘러 나이 마흔에 작가로서 성공하기 전까지, 세상은 그에게 손톱만큼의 관심도 주지 않았으며, 이것이 그에겐 견딜 수 없을 만큼 시무룩한 일이었다고 한다.

"군대 다녀오고 별 볼 일 없는 대학 졸업하고⋯⋯. 그것만으로도 이미 코스에선 낙오한 거나 마찬가지였지만 난 그래도 내가 뭔가 보여줄 수 있을 거라 생각했어. 그림을 그리고, 사진도 좀 하고, 영화도 배웠지. 근데 어떤 것도 잘되지 않더라. 뭔가 다른 길을 찾아야 한다는 건 알았는데 그게 뭔지를 모르겠더라고. 그러는 사이 친구들은 하나둘 날개를 달았지. 난 여전히 내 자리가 어딘지조차 찾지 못하고 있었는데 말야. 그런 거 알아? 크리스토퍼 놀란이 신작을 낼 때쯤 되면 사람들이 들썩들썩하면서 이번엔 또 뭐가 나올까 가슴 두근거리며 기다리고 기대하는 그런 거. 그런 기대의 대상이 된다는 거. 난 박찬욱이나 봉준호가 되고 싶었어. 정말 간절하게. 하지만 난 너무 오랫동안 아무것도 아니었지. 그리고 난 내가 아무것도 아니라는 사실을 견딜 수 있는 놈이 아니었고."

그가 허옇게 타들어가고 있는 장초에서 긴 담배연기를 뿜었다.

"그때쯤이었을 거야. 이 동네로 이사를 왔던 게. 난 그때 아버지한테 장가를 들겠다고 사기를 쳐서 얻은 돈으로 전셋집을 구하고 있었거든. 계약할 때 복덕방 노인네가 좋은 집을 잡았다면서 이 집은 옥상이 좋으니까 꼭 올라가보라는데 그냥 흘려들었어. 숨쉬기도 귀찮은데 무슨 옥상을 올라가.

서른다섯이 되던 해 마지막날 밤. 난 어릴 적 나만의 아지트였던 성북동 언덕길에 올라 서울의 밤 풍경을 내려다보면서 생각했어. '차를 타고 달랑 삼 분이면 올라와서 볼 수 있는 저 불빛들을, 어린 시절부터 지금까지 한 번도 변하지도 않고 포기하지도 않았던 저 불빛들을, 도대체가 내 힘으로는 절대로 가질 수가 없는 건가?' 나만은 꼭 성공해 거기 성북동의 멋진 집 하나를 골라잡고 살게 될 날이 틀림없이 올 줄 알았거든."

그렇게, 그는 서른여섯이 되어 그곳을 내려오면서 다시는 그 언덕길을 찾지 않기로 한다.

"그리고 저 집에서 삼 년을 산 거야. 아무도 만나지 않고, 아무것도 하지 않고, 인생에 대한 손톱만큼의 기대나 꿈도 희망도 없이 그저 먹고 자고 숨만 쉬면서.

서른여덟 봄이었지. 그날도 습관처럼 서점을 갔다가 하필 영화감독이 된 아카데미 동기 놈이랑 마주쳤네. 겨울에 두번째 영화가 극장에 걸릴 예정이라더군. 난 또 거짓말로 내 처지를 둘러대곤 녀석과 지하 스낵코너에서 차를 마셨어. 근데 놈이 날 위로해준답시고 그런 말을 하는 거야. "야, 그래도 최선을 다했으면 된 거 아니냐." 난 그냥 고개만 *끄덕끄덕*했어. 아니 난 그…… 최선을 다해본 적이 없었거든. 난 영화에 확신이 없었어. 좋아하긴 했어도, 이게 정말 인생에서 내가 가장 바라는 것이고 제일 잘할 수 있는 일인지, 내가 이걸 하려고 태어났는지, 아무리 물어봐도 선뜻 그렇다는 대답이 안 나왔으니까. 그때 녀석하고 있다가 오줌도 마렵지 않으면서 화장실에 가서는 거울을 보며 난 정말 진지하게 나한테 물었었다. 씨발, 넌 도대체 왜 태어난 거야? 그러곤 그놈한테 받은 VIP 시사회 표 한 장을 주머니에 찔러넣고선 집으로 터덜터덜 돌아오는데 주인이 나가라 그러더라. 난 그때 야금야금 꺼내 쓴 보증금까지 거의 바닥이 났었거든. 뭐 어떡해. 알았다고 했지. 근데 며칠 뒤 복덕방에서 사람이 오더니 그러는 거야. "이 집 옥상 두고 가기 아쉬우시죠." 생각해보니까 삼 년간 여기 살면서 한 번도 옥상엘 올라가본 적이 없었네? 그래 내가 올라가본 적이 없다고 하니까 그 사람이 깜짝 놀라면서 아니 왜 안 올라가보셨냐고, 애들이 다 죽었겠네, 이러면서 안타까워하는 거야. 난 도대체 뭐가 있길래 그러나 싶어 집 보러 온 사람들이랑 다 같이 옥상엘 올라갔어. 지금은 없애버렸지만 그땐 베란다에 철제 계단이 있었거든. 하도 폭이 좁아서, 그거 타고 올라가면 마치 잠수함 꼭대기에서 뚜껑 열고 머리만 삐죽 내밀고 바깥을 내다보는 기분이었지. 옥상에는 화단이 있었어. 엄청나게 많은 꽃들이 말라 죽어 있었지. 난 그런 광경은 태어나서 처음 봤어. 꽃들의 무덤이라고 해야 하나. 허연 먼지를 잔뜩 뒤집어쓴 화분들이 가지런히 열을 맞춰 놓여 있었지만 그뿐이었지."

그 말을 하면서 용휘는 그때가 떠오르는 듯 목을 뒤로 젖히고 눈을 지그시 감았다.

"가평에서 작은 수목원을 하다 은퇴한 노인이었대. 자식들한테 빼앗기다시피 수목원을 물려주곤 혼자 이곳에 살면서 옥상에 꽃밭을 만들어놓고 돌보면서 살다가 눈을 감았다는 거야. 내가 올라갔을 땐 그가 사랑하던 꽃들은 이미 말라비틀어진 채로 전부 죽어 있었지. 그때가 5월이었는데 앙상하게 말라비틀어진 해바라기 머리가 바닥에 떨어져 뒹굴고 여기저기 작은 꽃들이 시체처럼 바스러져 있었어. 어디서 씨앗이 날아왔는지 잡초들만 조금 살고 있었지."

난 눈앞에서 살아 흔들거리는 꽃들을 바라보며 저 아름다운 것들이 아무도 돌봐주지 않은 채 버려지게 된다면 어떻게 될지를 상상해보았다.

"사람들이 죽은 꽃들을 보면서 안타까워하는데 당혹스럽더군. 난 뭔지 모를 죄책감에 시달려야 했어. '아…… 내가 이곳에서 생기 없이 삼 년을 사는 동안 내 머리 위에서 이렇게 많은 꽃들이 죽어갔구나.' 그런 생각을 하니까 도저히 이대로 떠날 수가 없는 거야. 난 집주인한테 사정했어. 어떻게든 돈을 구할 테니 이곳에서 계속 살게 해달라고. 난 내 손으로 이 화단을 살리고 나도 다시 뭔가 시작해보고 싶었거든. 하지만 거절당했지. 뭐 당연해. 난 돈도 없었고 삼 년간 신용도 잃을 대로 잃었으니까. 그렇게 난 저 집을 떠나게 됐고, 그때 그 여자를 만난 거야."

"서점에서 만나셨다던……."

"그렇지. 근데 그 여자가 어디 살았는지 알아?"

"어디 살았는데요?"

"성북동."

50. 해바라기

새벽하늘이 퍼렇게 얼어 있었다.

언젠가, 내가 올라갈 수 없는 곳에서 벌어지고 있는 일들에 관해 참으로 궁금해하던 때가 있었는데. 그때 내가 하던 상상은 이런 얘기와는 전혀 다른 것들이었다.

"처음엔 당황했었지. 어릴 때부터 누굴 만나면 무조건 성북동 언덕길에 산다 그랬는데 진짜로 거기 사는 여잘 만났으니. 혹시 하느님이 내지난 엿 같은 시절에 대한 보상으로 이 사람을 보내주신 것은 아닌가 하는 생각도 들었지만 포기하기로 했어. 그렇잖아. 대궐 같은 집에 좋은 학벌, 나와는 다른 세계의 친구와 형제들……. 내가 그토록 바라던 사람이었지만 바로 그렇기 때문에 나랑은 십 원도 안 어울렸으니까. 정말 오랜만에 갖고 싶은 게 생겼지만 그럴 수 없었지. 다른 건 다 그렇다쳐도 글 한 줄 써보지 않은 내가 무슨 수로 소설을 쓰겠냐.

이사 가기 전날. 나는 마지막으로 옥상엘 올라갔어. 이제 내일이면 옥상의 이 죽어버린 화단도, 그 여자도 모두 끝이었지.

나는 착잡해서 담배를 한 대 피워 물었어. 그런데 그때, 거기 죽어 있던 꽃들이 나한테 그러는 거야.

'포기하지 말라'고. '너 이번에 그 여자 포기하면 다시는 아무것도 가질 수 없을 거'라고."

내가 못 믿겠다는 듯 쳐다보자 용휘는 눈을 동그랗게 뜨고는 거의 펄쩍 뛰다시피하며 내게 말했다.

"진짜야. 저 말라비틀어진 해바라기 대가리들이 나한테 그랬다니까. 정말이야. 맹세해."

꽃들이 말없이 바람에 출렁이고 있었다. 용휘는 목이 타는지 주방에서 오백짜리 캔맥주 두 개를 가져오더니 내게 하나를 건넨 후 자기도 따서 벌컥벌컥 거의 반을 단숨에 들이켰다.

"지금도 생생히 기억해. 명동 중앙극장에서 함께 〈렛 미 인〉을 보던 날이었지. 이층이었어. 떼로 몰려온 애들로 여기저기에서 시끄러웠지만 우린 구석에서 서로만 쳐다보고 있었지. 사랑에 빠진 여자의 눈빛이 어떤지 알고 있지? 그녀가 바로 그런 눈빛으로 나를 보는 순간, 난 마치 삼십팔 년간 죽어 있던 화단처럼 다시 살아난 거야. 혈관에 피가 아니라 사이다가 흐르는 기분이었지."

그때, 갑자기 불어온 강한 바람에 꽃들이 이리저리 흔들리기 시작하자 그는 남은 맥주를 빠르게 비우며 말했다.

"하지만 난 초조했어. 눈물겨운 노력 끝에 소설도 냈고 바라던 대로 그녀와 연인이 됐지만 아무도 내 책을 봐주지 않았거든. 수치스러웠다. 서점에 갈 때마다 구석에 아무도 모르게 처박혀 있는 내 책을 보면 마치 내 인생이 그렇게 외면받은 것만 같아서. 그녀는 그런 나를 끊임없이 위로했지만 난 듣지 않았어. '내가 소설가가 아니었대도 니가 날 사랑했을까? 내가 계속 무명의 작가로 남아 있더라도 니가 날 여전히 좋아해줄 수 있을까?' 그녀는 그렇다고 대답했지만 난 끝내 믿지 않았지. 그리고, 그러던 그녀가 어느 날 이유도 말해주지 않은 채 결국 내 곁을 떠났을 때, 난 생각한 거야. '이것 봐. 이렇다니까. 가난하고 아무도 찾지 않는 소설가라서 사랑하는 사람조차 지키지 못한 거라구.'"

그때부터 그는 미친 사람처럼 글을 쓰기 시작했다.

"왠 줄 알아? 책을 산더미처럼 팔아서 성공하고 부자가 되면 그녀가 돌아올 거라 믿었거든. 어? 이런 병신 같은 놈이 또 있냐?" 용휘는 껄껄 웃으며 말했다.

"도대체 남자는, 자기 여자가 자길 왜 떠나갔는지도 모른다니까."

51. 마지막 순간

우리가 헤어지던 날은 9월 8일이었다.

나는 시스템에서 나온 짙은 회색 반팔 티셔츠를 입고 있었다. 가운데에 빛바랜 은색 왕관이 새겨져 있는 목이 헐렁한 라운드 티였다.

오랜 두려움 끝에, 견디고 견디다 도저히 더는 견딜 수 없게 되었을때, 나는 희수에게 헤어지자고 말했다. 그애는 담담한 얼굴로, 내 말을 선선히 받아들였다. 그리고 마지막으로 내게 이렇게 말했다.

"오빠, 우리 웃자. 응? 이렇게 웃어봐."

나는 그애의 자유가 죽음보다도 더 두려웠었다.

그래서 떠나기로 했다.

그날, 마지막으로 그애를 꼭 끌어안고 나서 집으로 돌아와 입고 있던 티를 벗어 얼굴에 묻고는 한참을 울었다. 좋은 냄새가 났다.

사랑했던 사람의 냄새를 영원히 기억하고 싶었던 적이 있는 사람이라면 알 것이다. 인생에는 간직할 수 있는 게 그리 많지 않다는걸. 삶의 이유가 되어주었던 사람이 떠나간 뒤, 용휘는 매일 조금씩 눈에 보이지 않게 사라져가는 것들을 기억하려 애쓰며 하루하루를 보냈다. 그래서 늦기 전에 이 모든 기억을 글로 남겨야겠다고 생각했다. 그는 결사적으로 글을 썼고 고대하던 성공을 거두자 가장 먼저 한 일은 옥상을 되찾는 것이었다. 죽어 있던 꽃밭을 살려내야 했기 때문이다.

"난 보여주고 싶었어. 저 꽃밭을. 달라진 내 인생을."

정작 자신은 죽은 화단처럼 다시 시들어버렸으면서도, 밤이면 남몰래 화단을 가꾸고, 그 화단을 보면서 이런저런 글을 쓰고, 매일 서점에 들러 자기 책의 안위를 살피며 그녀와의 끈이 아직 끊어지지 않은 것만 같은 기분에 안도하고, 동네 카페에서 채워지지 않는 허기를 빵으로 달래는 것이 그가 할 수 있는 전부였다. 바라던 대로 유명해졌지만 통장과 주머니 말고는 달리 채워지는 것도 없었다. 그저 옥상이 있던 집을 사서 꽃밭을 살려내고 또 그 앞집을 사서 매일 자신의 힘으로 살려낸 꽃밭을 내려다보며, 그와 그녀와 저 옥상에 대한 이야기를 써나갔을 뿐. 그것은 기록에 가까운 소설이었는데, 그가 바라던 결말이 이뤄지기 전까진 결코 공개되어서는 안 되는 것이었다.

제1회 초월문학상 시상식 이틀 전, 극적으로 호출을 받고 찾아간 가회동의 어느 한정식집에서, 용휘는 방에 홀로 앉아 있던 심사위원장 노구희로부터 마침내 그렇게 원하던 대답을 들을 수 있었다.

"일은 다 잘 해결됐습니다. 원고도 돌려드리는 것으로 결정이 됐고 작가님에 대한 오해도 모두 풀렸어요. 그런데……"

그런데? 그런데 뭐지? 순간 안도하면서도 어리둥절해하는 용휘에게 노구희가 들려준 사연은 이랬다. 어제 한 여자가 문학상 사무실엘 찾아왔는데 아담한 키는 물론 짧은 머리에 살짝 허스키한 목소리까지, 그 모습이 용휘의 글 속에 묘사된 여주인공과 너무나 똑같더라는 것이다.

"주인공이요?" 용휘는 깜짝 놀라서 되물었지만 노구희는 대답 없이 말을 이었다.

여자는 신문에서 글의 내용을 보았다며 '그 글은 남의 글을 가져온 게 아니라 자신과 방세옥 작가 두 사람의 이야기일 것'이라며 책에 있는 것보다 훨씬 더 자세한 이야기를 들려주었고, 이에 심사위원들은 뒤늦게 권순원이 보내온 책을 조사하여 그제서야 출판등록조차 되지 않은 위조물임을 알게 되었단 것이었다.

그다음에는 무슨 일이 벌어졌을까.

이 불쌍한 남자는 그토록 기다려온 사람이 자신을 도왔다는 사실을 알게 되자 마침내 그녀가 돌아온 거라 단정짓고는(속단하는 것은 그녀가 가장 싫어하는 그의 습관 중 하나였다) 이내 수상을 허락하곤 복도로 달려나가 떨리는 손으로 그녀에게 전화를 걸었고, 다시 만나게 되면 하리라 마음속으로 수없이 되뇌었던 그 말, 내가 얼마나 달라졌는지, 니가 날 얼마나 바꿔놨는지 보여줄 수 있게 해달라고 부탁하였던 것이다. 그러나 긴 신호음 끝에 수화기 저편으로부터 들려온 익숙한 듯하면서도 어쩐지 낯선 목소리의 여자는, 단지 자기만이 도와줄 수 있는 일인 것 같아 그랬을 뿐이라며 덤덤히 말했고, 육 년이나 기다려왔던 통화가 단 삼 분의 짧고 무덤덤한 대화로 허무하게 끝나버리고 나서야 그는 비로소 무언가 잘못되었음을 깨달았다. 여자가 결혼을 했기 때문은 아니었다. 그녀가 택한 사람이 바로 자신이 평생을 벗어나려고 몸부림쳤던 바로 그 평범하고 보잘것없는 사람이라는 사실 때문이었다.

52. 누가 꽃밭을 흔들어놓았나

"모르셨던가보지요. 남편 되시는 분도 작가시던데."

통화를 마치고 망연자실해 복도에 서 있던 용휘는 쫓아나온 노구희로부터 그 말을 듣고선 인사도 하지 않은 채 한달음에 그곳을 빠져나왔다. 그러곤 바로 근처 건물에 있는 피시방으로 달려가 맨 앞자리에 앉아 서둘러 검색창을 띄운 다음 미친듯이 그 남자의 이름 석 자를 두들겨넣었다.

김석기.

시인. 소설가. 하지만 안 팔리는 작가……

이것이, 자신이 그토록 사랑했던 사람이 평생의 반려자로 택한 사람의 프로필이었다. 그의 관점으로는 도무지, 세상에 내세울 것 하나 없는 그저 이름 없이 살다 죽어갈 무의미한 인생.

도대체 왜 이런 놈과……

그는 갑자기 숨이 막혀 피시방을 나와 차를 타고 광화문 교보문고로 갔다. 가서, 그곳의 가장 빛나는 곳에 자리한 자신의 책을 보아야만 이 미칠 것 같은 기분을 조금이나마 달랠 수 있을 것 같았다.

교보문고에 도착. 지하 이층에 차를 대고 주차장 계단을 한 층 걸어 올라 서점으로 향했다. 이곳에만 오면 습관처럼 떠오르는 기억들이 그 아득한 순간에도 예외 없이 그를 스쳐갔다. 지금은 없어진 건물 일층 로비의 레스토랑에서 함께 첫 식사를 하던 기억. 인적이 드문 이곳 계단을 오르내리며 남몰래 키스를 나누던 순간들. 조금 떨어져 있다 싶으면 마치 그래서는 안 되는 사람들처럼 전화나 문자로 서로의 위치를, 존재를 확인하던 기억들. 자기처럼, 아무 일 없이도 그저 서점에 가는 것만으로도 행복을 느끼던 사람을 만나 그는 얼마나 기뻤던가. 지하 일층. 화물용 엘리베이터 옆에 있는 두꺼운 철문을 열고 서점 안으로 들어가 사방에 앉은 채로 책을 보고 있는 사람들을 요리조리 피해 베스트셀러 코너가 있는 정문 쪽으로 갔다. 그러곤 그 주의 판매순위별로 책이 놓여 있는 순위판 앞에 서서 그곳의 가장 높은 곳을 차지하고 있는 자신의 책들을 바라보았다.

『세계 최고가 아니면 견딜 수 없는 사나이』, 방세옥.

『육십억분의 일』, 방세옥.

『중년의 뱀파이어』, 방세옥.

그는, 누군가에게 잊히지 않기 위해 글을 썼다. 그 사람이 어디에 있든, 서점에 가면 그의 책들이 곳곳에서 그 대신에 그녀에게 인사할 수 있도록. 나 여기 이렇게 사라지지 않고 있다고. 널 잊지 않고 있다고. 가능한 많은 책들이 가능한 많은 곳에서 그 사람에게 말할 수 있도록, 온 힘을 다해 글을 썼다. 그러나 지난 육 년간 그런 소임을 충실히 수행해온 그의 책들은, 그에게 자부심과 실낱같은 희망과 생명을 주던 그의 책들은 그날따라 이상하리만치 초라하고 쓸쓸하게만 보였다.

충격이 큰 탓이리라.

저녁 여덟시. 순찰을 돌아야 할 시간이다.

그러나 환기구를 통해 들어오는 차가운 바람에 문득 등골이 서늘하도록 한기를 느낀 그는 차도 버려둔 채 이내 서점을 빠져나와 택시를 타고 명동으로 갔다. 롯데백화점 맞은편에 있는 단골 타르트집에 가기 위해서였다. 그는 어서, 한시라도 빨리 몸안에 단것을 밀어넣어야겠다는 생각뿐이었다.

"어떻게 그럴 생각을 했어."

길이 막혀 종종걸음을 치는 차 안에서, 그는 한 시간 전 자신의 귓가에 생생히 울리던 그녀의 목소리가 떠올라 이내 어금니를 꽉 깨물어야 했다. 그는 떨리는 목소리로 물었다. 어떻게 이렇게, 갑자기 나타나 나를 도울 생각을 했느냐고, 그리고 나의 수상 소식은 들었냐고.

그러나 그녀는 서늘하리만치 덤덤한 어조로 이렇게 대답할 뿐이었다.

"오빠가 원했던 일이잖아. 오빠 글은 정말 좋으니까."

순간, 그의 온몸에 소름이 끼치며 그동안 애써 눌러두었던 기억 하나가 불쑥 떠올랐다. 당신은 더이상 좋아하지 않지만 당신의 글은 여전히 좋다던 그 말. 작가 김용휘는 사랑할 수 있지만 인간 김용휘는 사랑할 수 없다던 그 말.

북 —.

그는 가슴속에서 무언가 힘겹게 붙들고 있던 끈이 끝내 찢어지는 소리를 들었다.

결국 달라진 건 아무것도 없었던 것이다.

어려서부터 남들 앞에 나서야 할 때마다 자기가 아닌 뭔가를 만들어 자신을 대신하게 하는 습성이 있었다. 있는 그대로의 모습으로는 누구도 자길 봐주지 않을 거라 생각했기 때문이었다. 그러나 그렇게 해서 만들어진 방세옥이 기적처럼 평생 한 번도 가져보지 못한 명성과 돈과 심지어 사랑까지 쥐여주었을 때, 그는 정작 그것들을 자신의 것으로 받아들이지 못했다. 늘 거짓말 속에서만 꿈을 이뤄왔기에, 뜬금없이 주어진 이 행운조차 허구라고, 언젠가 사라져버릴 거라 굳게 믿었고, 정말로 그 사랑은 애초 우러러보던 작가가 아닌 알몸의 그가 드러날수록 점점 엷어져, 결국 자신을 애초의 평범하고 초라한 존재로 되돌려놓고 말았기 때문이었다.

그는 왜 그녀를 그토록 사랑했던가. 그녀가 성북동 출신이라서? 자신이 평생을 꿈꿔왔던 부잣집 딸내미라서?

그럴지도 모르겠다. 자긴 충분히 그런 이유로 누군가를 사랑할 수 있는 사람이라고 자기 입으로 그랬으니까. 하지만 그렇다고 그게 사랑이 아닌지도 자긴 잘 모르겠다고 그는 또 말했다. 분명한 건 비록 거짓으로 자길 소개하긴 했어도, 그녀는 태어나서 처음으로 그에게 용휘라는 자신의 촌스러운 이름을 멋지다고 말해준 사람이었고, 그 말은 영영 지울 수 없는 기억으로 그의 가슴에 남았다는 것이다.

묻겠다.

당신에게 어느 날 절대로, 절대로 놓치고 싶지 않은 무언가가 생긴다면 당신은 그것을 어떻게 갖겠는가.

이제 이 사랑과 관련된 좀더 솔직한 날것의 모습을 이야기할 때가 된 것 같다.

처음부터 그는 여자에게 호언장담했던 것과 달리 자신이 육 개월 안에 소설을 써내기란 불가능하다는 것을 알았다. 그래서 고심 끝에 세상 누구도 모를 무명 작가의 글을 고쳐 자기가 쓴 것처럼 내기로 작정한다. 그게 바로 자신만큼이나 초라하고 하찮은 존재였던, 아무도 받아주지 않아 자기 돈으로 책을 낼 수밖에 없었던 권순원이었다. 용휘는 중고서점을 뒤지고 또 뒤져서 세상에서 가장 안 유명하고, 아무도 본 적이 없어 행여 갖다 쓴대도 누구에게도 발각당하지 않을 소설 한 권을 찾아 각색한 뒤 방세옥이란 이름으로 출간, 그녀와 연인이 되었던 것이다. 그에게 글 도둑질을 당한 사람 또한 자신의 초라한 과거가 드러날까 두려워 평생 가짜 이름을 지어 가짜 인생을 살던 인물이었는데 말이다. 바로 그처럼.

그러나 행복한 시절도 잠시, 오래도록 곁에 있어줄 것만 같던 그녀가 어느 날 갑자기 자신을 떠나버리자 용휘는 오직 작가로서 성공해 부와 명예를 쌓는 것만이 잃어버린 사랑을 되찾는 길이라 생각했다. 그래서 홍보를 위해 서점에 불을 지르고, 필요할 때면 서슴없이 남의 글을 가져다 쓰고, 순위가 조금 떨어지면 사재기까지 서슴지 않으면서, 책을 팔기 위해서라면 그 어떤 수단방법도 가리지 않는 광인이 되어갔다. 결국 누명이라 믿었던 대부분의 소문들이 사실이었던 것이다.

하이에나가 썩은 고기를 노리듯 늘 서점을 두리번거리며 자기 힘으론 결코 빛을 내지 못하지만 조금만 손을 보면 팔아먹을 수 있을 만한 무명 작가들의 글을 골라 교묘히 짜맞추고 비틀어 자기 책인 양 발표했다. 경력이 쌓이면서 법적 표절 기준을 피해가는 기술마저 날이 갈수록 능란해져갔다. 그 과정에서 이미 무수히 많은 책들을 읽었음은 물론이다. 또한 스스로도 예상하지 못했을 만큼 엄청난 성공을 거뒀기에 간혹 제기되는 힘없는 존재들의 항의와 고발로부터도 자유로울 수 있었다. 아무도 책을 천만 권씩 팔아대는 이 밀리언셀러 작가가 단 천 권도 팔지 못하는 초라한 존재들의 글을 가져다 썼으리라곤 믿으려 하지 않았던 것이다. 그중 한 명이 권순원이었다. 사실 딱 한 번, 단지 글이 형편없고 작가로서의 존재감이 전무하다는 이유로 본인이 선택된 줄도 모르고 방세옥의 모든 성공이 자신의 것이라 믿었던 그의 사연은 차라리 한 편의 코미디였다. 더구나 방세옥이 국내 최대 규모의 문학상까지 타자, 그것마저 자신의 것이라 착각, 거짓 자료까지 만드는 무리수를 두는 바람에 스스로 진실을 밝힐 기회마저 놓쳐버리고 말았던 것은 그 희극의 정점이었고 말이다.

한편 용휘는 문학상 수상 직후 아무 의미 없어진 상을 주최측에 반납한 뒤 다시는 방세옥의 이름으로 글을 쓰지 않기로 결심한다. 그래서 경찰서에 권을 만나러 갔던 날, 내가 먼저 돌아간 뒤 늦은 자수를 했던 것이다. 그는 그간 자신의 모든 죄를 고백한 대가로 약식기소 돼 오백만 원의 벌금형을 받고 풀려날 수 있었다.

"경찰서를 빠져나오는데 그 생각이 나더라. 어렸을 때, 성북동 까치의 집에 아버지를 따라가면 거기 사는 재벌들, 고관대작들이 김집사네 막내아들이 왔다면서 날 무릎에 앉히곤 꿩 사냥 얘기며 골프 얘기며 나누던 그 사람들 틈에 끼어 마치 내가 그들의 일원이라도 된 듯한 기분에 취해 살았던걸. 하지만 난 한 번도 그들의 일원인 적도, 될 수도 없었지. 직원 네 명짜리 작은 애니메이션 회사의 비정규직 칠 년차 삽화보조원. 나이 먹어서까지 아버지 금고나 터는 신세. 이런 것들이 삼십 년 뒤 나를 기다리고 있던 내 진짜 미래였으니까. 그러니 이룰 수 없는 소원이란 게 도대체가……"

그는 지금껏 쉼 없이 이어오던 말을 갑자기 멈추더니 조금 후에야 가까스로 입을 열었다.

"그때 나는 알았지. 내 평생의 꿈은 언제나 내 목을 조르기만 했다는걸."

이 어처구니없는 이야기를 들으면서 나는, 그렇게 어릴 적부터 사는 동네, 부모님 하시는 일, 자신의 성적 등등을 아무렇지도 않게 꾸며대던 한 어린아이가, 이후로도 거의 평생을 거짓으로 점철된 인생을 살았다는 사실보다, 설마 이 세상 모든 것을 아는 척하던 남자가 누굴 그렇게밖에 사랑할 줄 몰랐다는 사실이 더욱 믿어지지 않았다.

우린 이토록 바보 같은 존재들이기에 이렇게 친구가 된 걸까?

예나 지금이나 그가 믿는 사랑이란 오직 상대가 우러러볼 수 있는 무언가가 되는 것. 사랑을 놓치고, 그는 더 나은 사람이 되기 위해 노력했다. 하지만 아무리 많은 책을 팔아도, 그는 자신이 더 나은 존재가 되었다는 느낌을 받을 수 없었다. 외모, 성격, 말투, 목소리, 풍기는 분위기와 체취, 노력하지 않아도 드러나는 그만의 개성이나 매력 같은 진짜 모습들은 무슨 짓을 해도 변하질 않았다. 그는 자신이 성공한 작가라는 사실을 모르는 친구와 친척과 지인들 사이에서 여전히 아무것도 아닌 존재였으며 그의 달라진 신분을 모르는 그 어느 곳, 마주치는 어떤 누구로부터도, 여전히 평범한 사람 취급을 받는 그저 그런 존재에 불과했기 때문이었다.

'책을 한 권도 팔지 못하는 나 김용휘는 아무런 가치도 없는 인간인가? 누구에게도 친구로 여겨지거나 남자로서 사랑받을 수는 없는 존재인가?'

그는 괴로웠으나 아무리 해도 상황은 나아지지 않았다. 자괴감이 더할수록 그가 할 수 있는 일이란 오로지 더 많은 책을 파는 것밖엔 없었다. 악착같이.

그리고, 이제 이야기는 결말로 치닫는다.

한 인간이, 자신이 믿는 대로 자신만의 탑을 높이높이 쌓아가다, 마침내 다다를 수 있는 가장 높은 곳에 오르게 되면 그는 그 위에서 무엇을 볼 수 있을까.

아무것도 없다는 사실을 확인할 수 있을 뿐이다.

아주 오랜 옛날부터 지금껏 수없이 많은 다른 사람들이 그래왔던 것처럼, 용휘 또한 그 과정을 고스란히 밟았고, 이미 정상에 오르기 얼마 전 그는 그 위에 아무것도 없으리란 걸 짐작했지만 그렇다고 이제와 브레이크를 걸 용기도, 달리 어떻게 살아야 하는지도 알지 못했기에 기어이 그 위에 올라 예상대로 아무것도 없음을 확인하곤 조용히 그곳에서 내려왔다. 그게 다였다.

명동 롯데백화점 정문 앞. 버스정류장 근처에서 택시 한 대가 멈춰섰다. 누군가 차에서 내려 눈앞의 쇼윈도에 비친 자신의 초라한 모습을 바라본다. 한 뼘도 안 되는 좁은 사각형 창틀에 갇혀 거기서 더 한 발자국도 나아가지 못하는 중년의 한 사내가 서 있었다. 그는 숨이 막혀 지금 이 거리에서 이대로 질식사라도 해버릴 것 같았지만 어디로 가야 이 미로 같은 굴레를 벗어날 수 있는지 알지 못했다. 이미 사십오 년간이나 헤매오지 않았던가. 그는 걷기 시작했다. 자신이 평생을 사랑했던 도시의 불빛 속을. 지긋지긋한 바람이 그의 얼굴과 머리를 때리고 지나갔다. 급히 우산을 펴들었다. 그의 시선 아래로 자동차의 헤드라이트 불빛이 지나갔다. 건물 곳곳에서 따스한 불빛들이 반짝였지만 어디에도 그의 자리는 없었다.

어린 시절, 성북동 남의 집 마당에서 온 도시를 내려다보며 언젠가 틀림없이 갖게 되리라 믿었던 그의 일생을 지탱시켜주었던 환영들. 세상의 중요한 사람이 되어, 커다랗고 아름다운 정원이 딸린 집에서, 남부럽지 않은 부인과 자식들과 함께 살며, 번듯한 친구들이 놀러오는, 어디 가서든 문학가의 꿈이라고는 아무도 믿지 않을 그의 평생의 꿈들. 그는 난생 처음으로, 어쩌면 그토록 갖고 싶어했던 걸 갖기 위해 자신이 평생을 반대 방향으로 달려왔는지도 모른다는 생각이 들었다. 그것도 전속력으로.

53. 용휘의 사형식

"사람들은 나보고 그랬지. 어떻게 책을 안 읽고 글을 쓰느냐고. 도무지 믿으려 들질 않더군. 하지만 내게 글을 가르쳐준 건 책이 아니라 사람이었어. 홑꺼풀 눈이 아름답고, 목소리는 도넛에 발린 설탕처럼 달콤하고, 아랫입술은 도톰하니 감촉이 사랑스럽고, 적당히 큰 가슴에 풍만한 엉덩이를 가졌던, 활자 속 가공의 인물이 아니라 만지면 체온이 느껴지고, 부드럽고 흰 살에 심장이 펄떡펄떡 뛰는 살아 있는 존재. 그 존재를 갖고 싶다는 간절함이 나로 하여금 글을 쓰게 했다고. 내 나이 서른여덟 때였지. 사람이 사람을 가질 수 있다고 믿던 시절이었어."

두 사람은 어느 해 봄에 만나 이듬해 가을까지 함께했다. 헤어진 뒤에야 남자는 유명한 소설가가 되었고, 그는 발표하는 작품들과는 별개로 그녀에 대한 기억과 두 사람이 보낸 시간들을 소설로 남겼다. 그것은 그가 남의 손을 빌리지도, 자기 사연을 꾸며대지도 않은 거의 유일한 글이었다. 그는 책 속의 결말처럼 그녀가 돌아와 자신이 그녀를 위해 몰래 가꾼 꽃밭을 함께 보게 되길 기다렸다. 그러나 헤어진 지 육년 만의 마지막 통화에서 그는, 소원이 영영 이루어질 수 없음을 알게된다. 이제 서점을 가는 일도, 누군가 자신의 책을 집어들고 돈을 지불하는 일도, 더는 그에게 기쁨이 될 수 없을 것이었다. 오직 유일했던 독자를 잃고서, 그는 집으로 돌아가 오래도록 완결짓지 못했던 원고를 마무리해 책으로 내기로 했다. 그간 써온 필명이 아닌 본래 자신의 이름으로, 오랜 소원이던 크리스마스이브에. 그녀는 그의 인생에서, 거의 유일하게 그의 이름이 멋지다고 말해준 사람이었으나, 남자가 죽을 때까지 간직하기로 했던 그 말을 여자는 기억하지 못했다. 그로부터 육개월 뒤인 12월 24일. 남자는 결심대로 그와 그녀와 옥상에 관한 이야기인 소설 『누가 꽃밭을 흔들어놓았나』를 출간함으로써, 육 년간의 기나긴 애도의 과정을 끝냈다.

"후…… 얘기 듣느라 힘들었지."

긴 이야기를 끝내고 용휘가 나를 보며 씁쓸한 얼굴로 웃었을 때, 날은 밝아 있었고 관리인 삼촌은 어느 틈엔가 다시 올라와서 꽃들을 돌보고 있었다.

"아니에요." 나는 대답했지만 그는 그래도 다시 물었다.

"후후…… 나 엄청 바보 같지?"

"아, 아니에요. 아니에요."

난 세차게 고개를 저었다. 그리고 그 순간, 난 삼 년 전 용휘가 나를 처음 만났을 때 내게 해줬던 바로 그 말을 그에게 돌려주고 싶었다.

잊지 못하는 것은 결코 부끄러운 일이 아니라고.
누굴 좋아하는 것이 부끄러운 일이 될 수는 없다고.

그때였다.
군인들이 순식간에 용휘를 에워쌌다.
세상이 아무리 이상하게 돌아간대도 그렇지 이런 걸로 사람을 사형
시키겠다니.
눈 깜짝할 사이에 포승줄로 온몸을 포박당한 용휘는 그러나 저항할
생각도 하지 않은 채 그 자리에 가만히 서 있었다.
두꺼운 카키색 철모를 쓴 군인들이 거실의 물건들을 치운 뒤 나무기
둥 두 개를 들여와 십자가 모양으로 포개는 동안, 제롬하고 똑같이 생
긴 어떤 사람이 법복을 입고서 천천히 집 안으로 걸어들어와 상체가
결박당한 채 체념한 듯 벽에 기대 서 있던 용휘를 향해 준엄한 어조로
말하기 시작했다.
"피고 김용휘. 거짓말로 돈을 번 죄, 평범한 삶의 가치를 깨닫지 못
한 죄, 무엇보다 자기 자신을 사랑하지 않은 죄. 이 모든 죄를 인정합니
까?"
그는 아무 말도 하지 않았다. 판사는 그런 용휘를 힐끔 보더니 아랑
곳없이 경직된 톤으로 판결문을 읽어내려갔다.

"피고 김용휘는 글을 쓰는 작가이다. 그러나 피고는 그 일이 즐겁고 그 일을 사랑해서가 아니라, 단지 그것이 피고의 인생과 피고 자신의 문제를 해결해주고 보상해줄 거라 믿었기 때문에 글을 썼다. 자신의 모든 사생활과 인간으로서 누려야 할 기본적인 일상의 즐거움을 다 포기하고서. 그런데도 피고는 그저 열심히 살고 성공을 하면 자신에 대한 도리를 다하는 것이라고 생각했을 뿐, 진정으로 자신이 원하는 게 뭔지는 한 번도 알려고 하지 않았다. 이것이 피고가 그토록 많은 빵을 먹고 많은 책을 팔아도 인생의 구멍이 채워지지 않은 이유이다. 피고, 동의합니까?"

용휘는 역시 대답하지 않았다.

"좋습니다." 판사가 말을 이었다. "또한 피고는 부정한 글로 재물을 편취해왔을 뿐만 아니라, 사회적으로 인정받는 존재가 되는 것만이 가치 있는 삶인 양 스스로를 몰아붙여 거기에 도달하지 못하는 자신을 늘 부끄러워했으며 평범하게 살아가는 대부분의 타인의 삶 또한 무가치한 것으로 여겨 경멸하였다. 비록 그것이, 피고 스스로 택한 삶의 방식이었다고는 하나 그것은 명백히 자신의 삶을 유기한 것이므로, 따라서 본 법정은 피고에게 유죄를 선고하고 여러 정상을 참작하여 다음과 같이 판결한다. 피고 김용휘, 사형."

판결이 떨어지자 용휘는 변명할 틈도 없이 군인들에 의해 나무로 만들어진 십자가 모양의 사형대 앞으로 끌려가 하얀 천으로 눈이 가려지고 두 팔을 벌린 채 사형대에 묶였다.

"안 돼……."

나는 흉악범에게도 자신을 변론할 권리는 있다고 소리쳤지만 판사는 기회는 지난 사십오 년간 충분히 있었다고 대꾸했다.

그러나 사수가 방아쇠를 당기기 직전, 판사는 무슨 생각의 변화가 있었는지 발사를 제지하더니 용휘에게 마지막으로 바라는 것은 없냐고 물었고 눈이 가려진 용휘는 작게 입을 벌려 빵을 먹고 싶다고 말했다. 그러자 군인 중 누군가가 판사에게 빵을 가져다주었고 판사는 그 빵을 용휘에게 건네며 이렇게 말했던 것이다.

'당신은 진작에 빵을 끊고 자신의 진짜 인생을 달콤한 것으로 만들었어야 했다'고.

그러곤

탕!

방아쇠가 당겨졌다.

54. 꿈

해가 바뀌어 새해 1월.

오래돼서 칠이 벗겨지고 불빛은 희미해진 전구가 올겨울에도 거실 벽에 매달려 반짝이고 있었다. 삼 년 전에 만든 거라 군데군데 불이 나간 것도 있었지만 그 때문인지 불빛은 더 은은하고 편안했다.

일요일. 그날은 새해 들어 첫 모임이 있는 날이었지만 모두의 표정이 어두웠다. 우리 동네를 포함한 근처 지역에 대규모 개발계획이 발표됐기 때문이었다. 동네 골목 앞 2차선 도로가 4차선 도로로 확장되면서 맨 앞쪽 두 집이 통째로 댕강 잘려나가는 것은 물론, 건너편 주택가는 아예 아파트 단지로 재개발이 확정되었다는 소식에 연초부터 동네 전체가 들썩이고 있었다. 이제 곧 도시 속의 숨겨진 섬처럼 조용하던 이곳도 공사판 아수라장이 될 것이고 그럼 용휘는 어디론가 피해가야 할 것이었다. 그것도 꽤 오랫동안.

아니나 다를까. 다들 말없이 술만 홀짝이고 있는데 용휘가 침묵을

깨며 말했다. 떠나겠다고. 예상은 했지만 막상 닥치고 보니 쉽사리 진정이 되질 않았다. 본인이 장담했던 것과는 달리 그가 자신의 진짜 이름으로 낸 책은 서점에서 사라지지 않았고, 출간 한 달이 지나자 오히려 입소문을 타고 서서히 팔리기 시작했지만 그는 아랑곳없이 이곳을 떠날 결심을 한 것이다.

"용우야."

"네."

"그동안에 우리집 좀 봐줘. 들어와서 살아도 좋고, 가끔 왔다갔다해도 좋으니."

그는 어디로 갈지, 얼마나 머물게 될지는 자기도 모르겠다고 했다.

"화단은요?"

나는 이미 그의 떠남을 기정사실로 받아들이고 있었다. 작년 그 일 이후, 자신의 내밀한 이야기까지 모두 털어놓을 정도로 무장해제 상태가 되었던 용휘는, 이제 다시 내가 알던 단호하고 자신만만하며 어딘가 비밀을 감춰놓고 있을 것만 같은(놀랍게도 여전히!) 그런 사람으로 돌아와 있었으므로, 한번 뱉은 말은 졸라도 다시 담지 않을 것이었다.

"삼촌이 편찮으시니까 그것도 좀 같이 거들어드리면 좋고. 베란다에 계단도 도로 놔야겠다."

용휘가 주름진 얼굴로 희미하게 웃었다. 제롬은 그날따라 별말을 하지 않았다.

그날 밤. 집으로 돌아가는 용휘를 따라 그의 집으로 건너갔다. 바람이 심하게 불었지만 용휘는 더이상 우산을 쓰지 않았고 우습게 헝클어진 머리는 그저 손으로 한번 쓱 넘긴 채로 그냥 내버려두었다. 나는 그의 머리를 힐끗 곁눈질하며 말했다.

"아저씨. 저 오늘 집필실에서 하루만 좀 있게 해주세요."

"그래, 알았어."

"자게 될지도 몰라요."

"편한 대로 해."

나는 용휘가 늘 앉아서 글을 썼을 의자에 앉아 겨울 밤바람에 출렁이는 꽃들을 보며 생각에 잠겼다.

이곳에서 이렇게 앉아 저 꽃들을 보며 글을 썼겠구나.

나는 얼마간 그곳에 앉아 있다 나도 모르게 스르르 잠이 들었다.

용우야, 어젯밤에 너의 꿈을 꿨어.

정말요? 무슨 꿈인데요?

너는 꿈이 기억나니? 눈뜨면 사라지는 게 꿈이야.

이후는 잘 기억나지 않는다.

아마 나는 기억나는 꿈도 있다면서 용휘의 팔을 붙잡고 떠나지 말라고 애원했던 것 같다.

55. Au revoir

용휘가 떠나기로 했다는 사실을 알려온 며칠 후,

제롬은 내게 독일로 유학을 가게 되었음을 털어놓았다. 녀석은 공교롭게 되었다며 당황하는 눈치였지만 어쩔 수 없는 일이었다. 녀석은 내게 할 수 있는 최대한을 베풀었으니까.

밸런타인데이 다음날, 우리는 동네 사진관에 다들 말쑥이 차려입고 가서 사진을 찍었다. 용휘가 우리 둘에게 슈트를 맞춰주겠다고 제의했지만 나는 사양했다. 제롬은 신이 나서 얻어 입었다. 원래 남에게 뭐든 이유 없이 받는 것을 좋아하는 놈은 아니었으나, 앞으로 오랫동안 보지 못할 수도 있을 친구에 대한 녀석만의 예의였을 것이다.

삼 년 전 그때처럼, 동물병원에 가서 오만 원짜리 목욕을 하고 꽃단장을 한 워리가 모처럼 윤기가 흐르는 털을 만족스러운 듯 핥으며 촬영용 붉은 벨벳 소파 앞쪽에 먼저 다소곳하게 자리를 잡았다. 어서들 오라는 듯 혀를 쭉 내밀고 입을 귀에 닿도록 벌린 채로.

비비안웨스트우드에서 샀다는 화사한 파란색 슈트에 빨간 타이를 맨 제롬이 쑥스럽게 웃으며 워리의 왼편에 앉자 가운데에 용휘가 앉았다. 그는 진한 회색 슈트에 검은색 타이를 하고 있었는데 몸을 조금 숙여 워리의 어깨에 내내 한 손을 얹고 있었다. 마지막으로, 내가 그의 오른쪽에 앉았다. 나는 예전 오사카 여행길에 그곳 백화점에서 산 감색 슈트를 입었다. 타이는 하지 않았다.

"자, 찍겠습니다. 약간씩만 더 붙으세요."

사진사의 주문에 우리 셋은 서로의 맞닿은 허벅지 살이 밀려 올라올 만큼 바짝 붙어앉았다.

열흘 뒤, 용휘가 떠났다. 일 년이 걸릴지 십 년이 걸릴지 알 수 없는 여행이었다. 그동안 자기가 모아둔 책 사만 권을 모두 가난한 아이들을 위해 산간벽지 도서관에 기증하겠다는 말 같은 건 물론 하지 않았다. 그리고 그 사흘 뒤, 제롬도 베를린으로 떠났다. 어떤 머리도 가정에서 원하는 대로 만들어준다는 마법의 파마기계는 녀석 최초의 히트 상품이 되었고, 회사에서는 그에 대한 보상으로 더 늦기 전에 박사과정을 밟고 싶다는 녀석의 바람을 들어준 것이다. 그것은, 삼십오 년 만에 스스로의 힘으로 해낸 녀석의 첫번째 성취였다.

용휘를 보내던 순간, 인천공항 대합실에서 나는 그를 배웅하기 위해 함께 앉아 있었다. 출발 시간이 얼마 남지 않아 그는 곧 일어나야 할

터였다.

"저는 이제 또 혼자네요."

내가 웃으며 푸념을 하자 용휘는 몸을 돌려 정색을 하며 나를 쳐다 봤다.

"용우야."

"네."

"인생을 비관하면 어떻게 되는지 알아?"

"어떻게 되는데요?"

"더욱 엿 같은 일이 너를 기다려."

"……."

"그러니까 절대로 비관하지 마. 알았어?"

"네……."

용휘는 잘 있으란 말 대신 내 두 어깨를 손으로 꽉 움켜쥐며 마지막으로 그 말을 남기곤 홀연히 출국장 안으로 사라졌다.

그날, 소영은 오지 않았다.

56. 마지막 질문

워리는 어느새 일곱 살이 되었다.

삼촌들이 모두 떠나고 얼마간 슬퍼하던 워리는 옆집에 슬기라는 이름의 예쁘장한 시츄가 이사 오자 그 모든 슬픔을 한순간에 날려버린 채 그애에게 모든 정신을 집중하였다. 나는 우리집 옥상과 용휘의 서재를 오가며 그와의 약속을 지켰고, 용휘가 떠난 동네는 사람들이 늘어나고 아이들과 개들이 뛰어노는 평범한 동네로 돌아왔다. (짐작했겠지만 이 동네의 집들은 모두 용휘의 소유였다. 그는 삼층의 자기 방에서 집을 보러 온 사람들을 내려다보며 절대로 떠들지 않을 세입자들만을 선별해서 받아왔다.) 한편, 조카의 부탁으로 이곳으로 온 지 칠 년째가 된 관리인 삼촌은 더는 동네 순찰을 돌거나 그 어떤 것도 관리하지 않았다. 그는 부산에 있는 자기 집을 오가기도 하면서, 우리집 옥상 위의 꽃밭만을 정성껏 돌보며 소일하였다.

서른다섯. 이제 나는 용휘가 아무것도 할 수 없을 거라며 자기 인생에 성급한 결론을 내리던 바로 그 나이가 되었다. 별일이 없는 한 난 계속 이렇게 평범하게 늙어가겠지. 혹시 내게도 언젠가 용휘처럼 인생이 송두리째 바뀔 무슨 사건이 벌어질까?

용휘도 제롬도 떠나겠다고 했던 그때, 우리 셋은 루카에서 마지막으로 송별회 비슷한 자리를 가졌다. 나는 그날 녀석이 구글 어스를 통해 진즉 옥상의 비밀을 알고 있었다는 것과, 크리스마스 전에 이미 나보다 몇 달 먼저 용휘네 집에 다녀왔다는 사실을 알게 되었다. 그의 육 년간의 기다림이 종말을 고했던 작년 여름, 무슨 낌새를 챘는지 녀석은 혼자 일방적으로 그의 집을 찾아가 마지못해 문을 반쯤 열며 당황해하는 용휘에게 이렇게 말했던 것이다.

"떠나세요. 더 늦기 전에. 그리고 방세옥이 아닌 김용휘를 사랑해줄 사람을 만나세요."

그건, 용휘가 녀석에게 그랬던 것처럼 누구도 용휘에게 하지 못했던 말이었다. 그날 두 사람은 별별 얘길 다 하면서도 서로에게 언제 돌아올 거냐는 질문 같은 건 하지 않았다. 마치 자기들끼리는 답을 알기라도 하는 것처럼. 한 번도 먼 길을 떠나본 적 없는 나로서는 알 수 없는 어떤 연대감 같은 것이 그 둘 사이에 흐르고 있었다. 그래. 나는 한 번도 떠나는 주체가 되어본 적이 없었다. 언제나 남겨지는 대상이었을 뿐.

용휘가 떠나고 나서 일 년 뒤, 나는 소영을 만났다. 온 서울 시내에 벚꽃이 흐드러지게 핀 4월이었다. 우리는 세종문화회관에서 함께 키스 자렛의 공연을 보고는 광화문 근처 어느 바로 이동해 맥주를 마셨다. 우린 그의 연주에 완전히 열광한 상태였다.

"저렇게 엄청난 사람도 인생에 고민 같은 게 있겠지."

"물론 있겠죠. 하지만 저 사람 정도 되면 고통도 초월할 수 있을 것 같아요."

"키스 자렛이 무슨 도인이야? 고통을 초월하게."

그가 세계 최고의 연주자라는 데에는 동의하지만 그렇다고 해서 사람이면 누구나 느끼는 아픔까지 비껴갈 수는 없지 않을까, 라고 나는 생각했다.

"글쎄, 있어도 우리 같은 사람들이 느끼는 거랑은 차원이 다르지 않겠어요? 마흔도 아니고 예순다섯이나 된 사람이 저런 연주를 할 수 있다는 건……. 그런 모든 걸 뛰어넘은 경지에 도달한 것처럼 느껴져요. 마치 노자나 장자처럼."

소영은 마치 꿈을 꾸는 듯한 표정으로 말했고, 그녀의 어린아이처럼 들떠 있는 모습에 난 어쩐지 샘이 나 은근슬쩍 핀잔을 주었다.

"참 여자들은…… 아무리 나이를 먹어도 환상이란 걸 버릴 수가 없나봐."

"후후. 맞아요. 근데 용우씨, 또 여자들은……이라 그런다."

아차, 소영이 제일 싫어하는 말을 하다니. 게다가 나이 얘기까지. 소

영이 살짝 눈을 흘겼지만 다행히 공연의 여운이 진한 탓에 그다지 신경
을 쓰는 것 같진 않았다. 우리들은 두어 시간 정도 그곳에서 맥주를 마
시다가 소영이 벚꽃이 보고 싶다고 해 밖으로 나왔다. 그녀는 베이지색
투피스에 굽 낮은 구두를 신고 목에는 아이보리색 스카프를 느슨히 두
르고 있었다. 우리는 나란히 시청 앞을 지나 벚꽃이 눈송이처럼 피어
있는 정동길을 걸었다.

"근데 용우씨는 왜 가끔 '여자들은'이란 말을 하는 거예요?"

"글쎄. 그냥 나도 모르게 나온 말이니까 너무 혼내지는 마."

"후후. 그래요."

잠시 둘이 말이 없어지자 인적 없는 길가에 또각또각 하며 소영이 보
도블록 위를 걷는 소리만이 커다랗게 들려왔다. 그때, 창가에 허름한
커튼이 쳐진 어느 작은 카페 앞을 지나는데 열린 문틈으로 하필 키스
자렛의 연주가 흘러나왔다. 아, 이 곡은 〈아이 러브 유 포기〉. 용휘가
가장 좋아하는 곡이 아닌가. 나는 때마침 나온 노래가 반가워 웃으며
소영을 바라봤지만 그녀의 얼굴이 어쩐지 활짝 펴지질 않는다. 우연인
지 그날 키스 자렛은 이 곡을 연주하지 않았고 소영도 용휘 얘기를 한
마디도 하지 않은 참이었다. 그런 소영을 보며, 난 전부터 꼭 물어보고
싶었던 걸 지금 물어봐야겠다고 생각했다.

"소영."

"응?"

"나도 궁금한 게 있어."

"뭔데요?"

"화 안 낸다고 약속할 수 있어?"

"뭔데. 물어봐요."

나는 작게 심호흡을 한번 한 다음 곁눈으로 그녀의 눈치를 살피며, 오랫동안 궁금했던 것을 물었다.

"저기…… 혹시 아저씨 좋아한 거 아니었어?"

"후후. 그거였어요?"

나로선 어렵게 이야길 꺼낸 건데, 그녀는 내가 속으로만 갖고 있던 궁금증을 이미 알고 있었다는 듯 장난스레 배시시 웃어 보였다.

"용휘씨는 다른 사람 못 만나요. 그 사람, 성북동의 그 여자 아직도 잊지 못하고 있는걸."

"뭐?" 난 놀라서 눈이 휘둥그레졌다. 그저 개인적인 호기심에서 물은 것뿐인데 돌아온 대답이 너무도 뜻밖이었기 때문이다.

"그게 무슨 말이야. 다 정리하고 떠난 거 아니었어?"

내가 정말로 의의라는 듯 되묻자 소영이 다시 되받았다.

"용우씬 아직도 그 사람을 그렇게 몰라요?"

"아니. 다 잊었다고 본인이 그랬잖아. 또 헤어진 지 팔 년이나 됐고 그 여자는 결혼도 했는데 어떻게……."

내가 그래도 믿을 수 없어 하자 소영은 가던 걸음을 멈추고 나를 돌아보며 말했다. 용휘 때문에 처음 우리집에 찾아왔을 때처럼 맑은 얼굴로, 내가 희수를 떠올리던 바로 그 표정으로.

"정말 사랑했던 사람하고는 영원히 못 헤어져, 용우씨. 누굴 만나든 그저 무덤 위에 또 무덤을 쌓는 것뿐이지."

아, 무엇 때문인지 소영의 그 말에 내가 할말을 찾지 못하고 서 있는데 그녀는 덧붙였다.

"그 사람이 해준 얘기예요. 처음 서점에서 자기가 누구라는 걸 밝혔을 때. 근데 그 얘기를 작년에 떠나기 전 마지막으로 만났을 때도 똑같이 하더라고요."

그러면서 소영은 뭐가 그렇게 우스운지 배를 잡고 깔깔거리며 웃는다.

"근데 그런 사람을 어떻게 좋아해? 나도 어디 비집고 들어갈 구석이 있어야 좋아하든 말든 하지. 그렇지 않아요? 용우씨 같음 그런 사람 좋아할 수 있겠어?"

"그, 그렇겠네. 맞아. 그렇겠어."

나는 대충 얼버무리며 장단을 맞춰줬다.

용휘가 했다던 그 말을 듣는 순간, 난 왜 내가 아직도 전화기를 쳐다보면서 그애의 이름이 뜨길 바라는지, 이렇게 소영을 보고 있으면서도 희수를 떠올리고 있는지 알 것 같았기 때문이다.

마치 눈앞에서 용휘가 아무리 지우고 싶어도 지울 수 없는 사람이 있다고 여전히 내게 뭔가를 말해주고 있는 것 같았다. 난 갑자기 그가 보고 싶어져 좀더 얘길 하고 싶었지만 소영이 내 팔을 잡아끌며 걸음을 재촉하는 바람에 그럴 수 없었다.

"우리 이제 그만 걷자, 용우씨. 응? 얘기는 그만하고."

"어, 그, 그래. 알았어."

나는 소영에 이끌려 영국 대사관을 거쳐 광화문 교보문고 앞까지 그녀와 나란히 걸어갔다. 여전히 그곳에 들어서면, 머리는 7 대 3 가르마로 단정히 고정한 어떤 중년의 아저씨가 한 손엔 우산을 쥔 채, 베스트셀러 순위판 앞에서 초조한 표정으로 자신의 책들을 바라보고 있을 것만 같은 곳으로.

거리의 차들이 환한 불빛을 머금은 채 광화문 도로 위를 달리고 있었다.

끝나지 않을 것만 같던 소설이 이렇게 세상의 빛을 보게 된 지금 떠오르는 것은 그저 감사의 말뿐입니다.

먼저 책의 처음부터 끝까지 매 순간 자신의 글처럼 함께해주신 김지은 선생님께 말로 다 할 수 없는 감사를 드립니다. 아울러 소설을 쓰는 사 년 동안 아들이 먹을 밥을 하루도 거르지 않고 지어주신 어머니께도 사랑한다는 말과 함께 이 책을 바치고 싶습니다.

또 많은 부분 함께 고민해준 달 출판사의 에디터 김지향님과 이희숙님께도 깊은 감사를 드립니다. 이 책에 제가 바라던 어떤 단정함이 깃들어 있다면 그것은 두 분의 덕일 것입니다.

사 년 남짓. 쓰는 동안 많이 두려웠습니다. 이야기가 영영 끝나지 않을까봐, 그래서 내가 보낸 시간들이 끝내 아무것도 아닌 것이 되어버릴까봐. 결국 소설은 완성되었고 모두가 가르치려고만 드는 세상에 또 한번 저는 책을 통해 질문을 던지고 있네요.

당신에게 어느 날 절대로, 절대로 놓치고 싶지 않은 무언가가 생긴다면 당신은 그것을 어떻게 갖겠느냐고.

지갑을 열어 저의 소중한 꿈을 응원해주신 모든 독자분들께 감사드립니다. 용휘의 간절함은 끝내 어긋나버렸지만 우리들에겐 아직 기회가 있다고 믿고 싶습니다.

2013년 여름
이석원

실내인간

© 이석원, 2013

초판 1쇄 인쇄 2013년 8월 1일
초판 1쇄 발행 2013년 8월 8일

지은이 이석원

펴낸이 이병률
편 집 김지향 이희숙 **편집보조** 박선주 **모니터링** 이희연
디자인 김이정 이보람
마케팅 방미연 정유선 이동엽 **온라인마케팅** 김희숙 김상만 이원주 한수진
제 작 서동관 김애진 김동욱 임현식

펴낸곳 달
출판등록 2009년 5월 26일 제406-2009-000034호

주   소 413-120 경기도 파주시 회동길 210
전자우편 dal@munhak.com
전화번호 031-955-1921(편집) 031-955-8889(마케팅) **팩스** 031-955-8855

ISBN 978-89-93928-65-5   03810

• 이 도서의 국립중앙도서관 출판시도서목록(CIP)은 e-CIP홈페이지(http://www.nl.go.kr/ecip)와
  국가자료공동목록시스템(http://www.nl.go.kr/kolisnet)에서 이용하실 수 있습니다.
  (CIP제어번호: CIP2013012542)